אלון חילו

הכי רחוק שאפשר

פרוזה
עברית

ידיעות אחרונות • ספרי חמד

Alon Hilu
As Far As It Gets

אלון חילו
הכי רחוק שאפשר

עורך אחראי: דב איכנולד
עורכת הספר: רנה ורבין

מעצב העטיפה: ניר דרום
לוחות: ישראליט
סדר: טפר בע"מ

דאנאקוד 362-4499 | מסת"ב ISBN 978-965-545-435-2 | נדפס בישראל Printed in Israel 2012

לאמא ואבא היקרים

חלק א

שלום שלום, אני מאוד מקווה שזאת כתובת האימייל הנכונה, השטרודל בפתק שאמא נתנה לי לא כל כך ברור, הוא קצת מכסה את האותיות שאחריו ואני לא לגמרי בקיא בכל ענייני האינטרנט האלה שגם ככה עולים לי בקשיים רבים (זה המכתב הרביעי שאני כותב לך אחרי שכל השאר נמחקו בגלל קפיצות של סימבה על המקלדת!) ונוסף על הקשיים הטכנולוגיים מטרידים אותי גם קשיי הניסוח משום שבכל פעם אני מתלבט מהי הפתיחה הנאותה (נדב היקר? נדבי׳לה? נדבי? כל פנייה לא נכונה עשויה להיראות נלעגת לבני הדור הצעיר!) וזמן להתלבט אין לי כי הטקסי אמור להגיע בכל רגע: אני יוצא ממש בעוד דקות ספורות למסע ולא יודע אם אוכל בכלל להתחבר בחו״ל במחשב הנייד או בטלפון הנייד או השד יודע במה, כי מה שפועל בארץ בקלות מתקלקל מעשה שטן בארצות שמעבר לים.

בכל מקרה אמא פגשה אותי במקרה באיזה אירוע ואמרה לי שאתה מתגייס בקרוב (אני מקווה שלא התגייסת כבר! הפתק הוא מלפני שבועיים ומצאתי אותו באמצע הפספורט שלי, מכל המקומות בעולם) ושאתה קצת מודאג ושפוף וחושש מן העתיד ושצריך לצלצל אליך או לכתוב לך קצת מילות עידוד, וסליחה אם אני מעלה כאן על הכתב דברים שלא הייתי צריך לגלות.

מכל מקום הנה אני כותב לך, ובזמן שאני כותב מטרידה אותי המחשבה שאולי כבר התקשרתי אליך בעצם ואולי כבר עודדתי אותך במילים טובות ונדיבות, ואם כך היה קבל את התנצלותי על הטרדה הכפולה, או שאולי רק חלמתי שאני מתקשר אליך? לפעמים אני מנהל שיחות חשובות בזמן השינה ואחר כך שוכח שלא התקיימו מעולם.

אם לא צלצלתי אז אנא קבל את המכתב הזה עם כל שפע מילות העידוד והחיזוק והנחמה שהיית רוצה לקבל איתו, ואני מ

■ ■ ■

[כעבור 9 דקות]

סליחה, המכתב הקודם נשלח בטעות בלהט הכתיבה ומכיוון שעוד לא חזר אני מניח שבכל זאת קיבלת אותו ושהכתובת כן היתה נכונה, ומכאן ניתן אולי להסיק שבמציאות הנראית לעין כנראה כלל לא התקשרתי אליך וטוב אני עושה בכתיבת האימייל הזה.

בכל מקרה, שפע עידוד וחיזוק ונחמה וכל מה שהיית רוצה לקבל, ואני מקווה שהתקופה הבאה תעבור עליך בטוב ("שפשוף נעים!" היו אומרים בזמני) ומתנצל מראש שלא אוכל לבקר אותך במחנה הטירונים או לשלוח לך חבילה עם ופלים מצופים.

בעוד כמה שעות כבר אהיה רחוק מכאן, מעבר לים, וכבר נדמה לי שהמונית צופרת שם למטה לקחת אותי אל נמל התעופה כך שאני מאחל לך כל טוב ומוסר לך דרישת שלום ואושר ונחת, ממני דודך האוהב מיכאל

צצצ

[כעבור ארבעה ימים]

הי דוד מיכאל.

פתחתי כרגע במקרה את המחשב של אבא ופתאום מצאתי את האימייל שלך ולא ידעתי אם לצחוק או לבכות. כאילו, יש כאלה שנוסעים במונית לנתב"ג ומשם ממריאים אל־על ועפים מהחור המזדיין הזה, ויש כאלה שיקומו מהמיטה מחר, יום ראשון, לפני שהשמש בכלל תדגדג להם את קצה התחת, ינעלו את הנעליים השחורות המסריחות שרק מלהתקרב אליהן נהיה לך רע על הנשמה, יעלו על אוטובוס לתחנה המרכזית, ומשם עוד אוטובוס ומשם בטרמפים – עד לקייטנה מהסרטים שנקראת טירונות אפס שתיים.

אני לא רוצה לספר את זה לאמא כי היא לא תבין או סתם תילחץ, אבל העניין הוא שהדבר הכי גרוע שאפשר לדמיין קרה לי, כל מה שהזהירו אותי מפניו התפוצץ לי בפרצוף, כל מה שחששתי ממנו חודשים ארוכים לפני הגיוס קרה, ובקיצור, כבר כמה זמן שבא לי למות, בא לי לגמור עם הכל ולהסתלק מן העולם ביריית כדור במצח, כי במחלקת הטירונים שבה אני נמצא יש חייל אחד שכולם מורידים עליו כאפות, כולם קוראים לו הלם, שוקיסט, פעור, כולם מריצים עליו בדיחות ועומדים בשורה לראות אותו נופל, והחייל הזה הוא אני. ☹

כבר הזהירו אותי שבכל מחזור גיוס יש אחד שלוקח את זה קשה, שמפסיק לתפקד, שהופך להיות מין אחד מחוק כזה עם קצף של רוק בין השפתיים ומבט אבוד, אבל בחלומותי הגרועים ביותר לא דמיינתי שאת התפקיד הדפוק הזה אני אקח על עצמי.

זה התחיל כבר בבקו"ם, קצת אחרי שירדנו מהאוטובוסים והתיישבנו בפריקסטים, חבורה של שמיניסטים שמצאו את עצמם

פתאום בתחילת שרשרת החיול. לא הכרתי אף אחד, לא התגייסתי עם החברים שלי מהתיכון בגלל שבזמן שהם הלכו לטירונות אני נסעתי לסייר בברגן־בלזן יחד עם אבא (הוא התעקש על הטיול שהיה פשוט **סיוט** בכל מובן).

כל אלה שהתגייסו איתי היו ערסים כבדים, עם גורמטים מזהב ושירי דיכאון על משפחה שהלכה בגלל משחקי קלפים, והתכווצתי בפינה, ניסיתי להעלים את עצמי, כדי שלא יתחילו לצחוק על המשקפיים והמבט האינטליגנטי.

עדיין החזקתי את עצמי, אבל כשכל אחד קיבל את המדים הירוקים שלו, מכנסי הדגמ״ח, הסוודרים, הכומתות, וכולנו החלפנו את הבגדים והפכנו בבת אחת משמיניסטים אחרי בגרות שצוחקים על המורה לספרות ומדביקים מסטיקים מתחת לכיסאות, לחיילים צעירים במראה אחיד שמסריחים מריח בקו״ם, התחלתי להרגיש כל כך אבוד, כאילו כל מה שהשגתי עד היום בחיים שלי, כל ציוני המגן המעולים שלי, כל הבנות שצחקקו איתי, כל האהבה של אמא שלי, כל השאיפות הגדולות שהיו לי, הכל נעלם בדקירת מחט אחת קטנה.

את הזמן שעבר מאז אני יכול לתאר רק במילה אחת: גיהינום.

לא בגלל שבאמת זרקו אותי ללבה רותחת ולא בגלל שמישהו פתח לי את המצח עם קת של M16, אלא בגלל מה שעובר עלי מבפנים, איך שהמוח נלעס ומתעכל שם, ואני מתחיל ממש להאמין למה שהם אומרים עלי, שאני דפוק, שאני פעור, שנולדתי שוקיסט, שזה בעצם תפקיד חיי, ושעכשיו בטירונות אני סוף סוף מוריד מעל גופי את התחפושות הפתטיות והמגוחכות שהסתובבתי איתן ומגלה את פרצופי האמיתי.

והממזרים החלאות הזונות האלה יודעים שהסיוט של שוקיסט שכמוני הוא שיגנבו לי את הנשק באמצע הלילה ואז אעלה למשפט

ואכנס לכלא ואצטרך לשוב ולעשות את הטירונות פעם אחרי פעם, לנצח נצחים, במחזוריות מעגלית שלא תסתיים אף פעם ובלי שהפז"ם ידפוק אפילו, הם יודעים שזה הדבר שהכי מפחיד אותי בחיים ולכן הם עושים את זה בכוונה, הם נהנים מההתעללות הזאת, בזמן השינה לסחוב לי את הנשק האישי בלי שארגיש ואז להחביא מתחת למזרון במקרה הטוב, או בחור הפעור בין רצפת הפריקסט לעפר המזוהם שמתחתיה, וכשאני זוחל על ארבע ומחפש את הנשק הם כולם עומדים מסביב וצוחקים.

אני מסתכל על עצמי ולא מאמין בכלל שהיו לי חיים קודמים, שפעם הייתי בן אדם, שהיה לי ערך עצמי, שהקשיבו לדברי, שאהבו אותי, יש לי רק זיכרונות קלושים מאיזה עבר מדומיין שאני לא בטוח שבאמת קרה, אני מרגיש שכל הזיכרונות שלי, כל מי שהייתי, כל מי שאני, הכל קרס אל תוך חור שחור אי־שם בנפש ונעלם לנצח, אני עוצם את העיניים ומסתכל פנימה ולא רואה כלום, לא יכול למצוא את עצמי של היום ולא של העבר, כאילו אין שם כלום, רק בהלה ומחשבות רעות, אני אפילו לא זוכר מתי בפעם האחרונה ראיתי אותך, מתי זה היה, בבר־מצווה של רותם? או בחתונה של הבת של אסתר? באמת הייתי שם בין אנשים, בחברה, באמת חייכתי, צחקתי, שתיתי יין, סיפרתי בדיחה? באמת ידעתי להתנהג כמו בן אדם? כי זה מה שהם אומרים לי כולם כל הזמן, שאני לא שייך באמת לגזע האנושי, שאני מין תולעת מעוכה, מין ילד כאפות שצריך לגנוב לו את הנשק ואחר כך למעוך אותו.

והגרוע והנורא הוא שהמצב מחמיר יותר ויותר בכל יום. כי לא רק הערסים הניאנדרטלים האלה נטפלים אלי, אלא גם הבחורים הנורמטיבים, אלה שהיו יכולים להיות החברים הכי טובים שלי בזמן אחר, גם הם נדבקים בזוהמה הזאת ומצטרפים למעגל הלועגים, לא מעט בזכות תחושת ההקלה הזאת, שאני הפעור ולא

הם, שתפקיד הכאפות כבר מגולם, ובהצלחה יתרה, על ידי החייל הכחוש והממושקף הזה, ושהם יצאו מזה בשלום.

והמ"כית השמנה, הבהמה, שכל תחת שלה יכול להספיק לשלושה מושבים באוטובוס, גם היא יחד איתם, וכל מסדר, כל מטווח, כל הקפצה, הם בשבילה הזדמנות לראות איך הפעור יגיב, מה ישכח הפעם, איך יתבלבל בשרוכים של הנעליים, איך יירה ישר אל שק החול במקום אל הדמות המצוירת, איך יזרוק את רימון הַפקפק כמו כוסית במקום להשליך אותו כמו שצריך.

והכי הכי אני מאוכזב מעצמי, כי למרות שכל בוקר אני נשבע שאחזור לעצמי, לדמות הישנה, הטובה, של נדב שקיבל 98 במגן בצרפתית, נדב שהוא הילד האהוב על אמא ועל סבתא, נדב שאוסף הציורים והקריקטורות שלו תלוי במשרד של אבא, למרות שיש לי שרידים של זיכרונות של מציאות אחרת, של זמנים טובים יותר, שבהם הרגשתי אהוב ורצוי, למרות כל זה משתלטת עלי הדמות החדשה, השנואה, כמו מין דיבוק כזה שאני לא יכול להיפטר ממנו, ומבטי הצחוק והשנאה והלעג של כל המחלקה כבר עולים ומקיפים אותי.

אני עכשיו בדיוק בשליש הראשון של הטירונות ואני סוחב בקושי. אין לי אפילו רגע אחד של חמלה שבו אני יכול לשפוך בפני מישהו את מה שעובר עלי, בדיוק להפך, כולם בוחנים אותי בשבע עיניים כדי לדווח על עוד פדיחה של הצהוב מירושלים, או להצטרף אל מטח הכאפות שמורידים עלי סתם ככה בשביל שיהיו צחוקים לחבר'ה, וכל הזמן מציפה אותי בהלה כזאת, כמו של איילה קפואה, מסנוורת מפנסים של משאית דוהרת, רק שבמקרה שלי הסוף לא כל כך קרוב למרבה הצער, הוא עוד רחוק מאוד – צפויות לי עוד הרבה שעות של סבל וצער, ואני לא יודע אם יהיו לי כוחות הנפש לשאת אותן.

דוד מיכאל, אני כותב לך את המכתב הזה בלי לקרוא אותו, ככה מהלב, בלי צנזורה, אבל אני כבר מרגיש שאולי הפלתי עליך יותר מדי חרא בבת אחת ואני מתנצל על זה מראש. לא התכוונתי. יצא לי במקרה, בסערת רגשות שבטוח אצטער עליה שנייה אחרי שאשלח לך את המייל. אבל אין לי עם מי לדבר על הדברים האלה. ההורים שלי לא יבינו, ואין לי עדיין חברה להניח את הראש על החזה שלה ולגעות בבכי. לחברים שלי כמובן לא אגיד מילה. זה מה שחסר לי, הם יֵרדו עלי רצח עד סוף החיים.

לא משנה. יהיה בסדר. במילא בסוף מתים ושוכחים מכל הסבל, כמו שהשמש יורדת אל קבר הים, וכל מה שהיה באותו יום נזרק אל פח האשפה ונשכח לעולמים.

ובבקשה, אל תגלה כלום ממה שסיפרתי לאמא, היא תמות מרוב בהלה וצער, אתה מכיר אותה.

נדב

נ"ב
לאן אתה נוסע?

[כעבור יומיים]

שלום שלום, אבל מה זה, איזה מין מכתב משונה כתבת לדוד הזקן שלך, קראתי אותו פעמיים ושלוש פעמים ולא בדיוק הצלחתי להבין למה כיוונת את דעתך, האם אתה באמת רוצה למות בגלל חבורה של "ערסים" שקוראת לך "צהוב" (מה זה??) ולגמור עם החיים היפים שלך?

האם אתה באמת ובתמים חושב שהאישיות שלך קרסה ונעלמה בגלל תקופה קצת קשה? שכחת שקיימת בעולם זהות אמיתית שהיא לגמרי שלך, של נדב, הנדביות, מי שאתה, זהות ותכלית שתישאר איתך לתמיד, מהות שהיא הצורה הנפשית והמבנה הרוחני של מי שאתה?

ובאמת, נדבי, אתה באמת ובתמים רוצה לחסל את היצור הנפלא, הנשגב והחד-פעמי הזה שנקרא נדב, שאני יכול להעיד מניסיוני האישי שראיתי אותו אינספור פעמים צוחק צחוק רם ומתגלגל ומספר בדיחה ושותה כוס יין, ויש לו עיניים ירוקות עם מבט חולמני ושיער גלי קפיצי כזה שבא לך ללטף בחיבה, נדב שכותב שירים בסתר אבל יודע שאמא שלו מציצה למגירה ומקריאה למשפחה את הכל בטלפון, נדב שמוקף תמיד בבחורות יפהפיות ומצחקקות שמחכות לרגע שיבחר כבר אחת מהן אבל עמוק בפנים הוא עדיין כל כך מתבייש מהיופי שלו עצמו, נדב שכולו תום ואהבה ותמימות ונעורים זכים – את הנדב הזה אתה רוצה ככה לחסל בירייה אחת במצח, וכל זה אחרי שבוע-שבועיים באיזה קרקס נודד וזמני בהחלט עם כמה הוטנטוטים?

זהו, נגמר, עלו לך על העצבים אז פיניטו לה קומדיה?

לא, לא כל כך מהר, נדבי, דוד מיכאל לא מרשה לך!

אני מוצא את עצמי מקלל ברגעים כאלה את כל ממציאי

הסטארט־אפים והגאונים עם הגאדג'טים המתוחכמים שלהם, על איך זה שלא המציאו עדיין את אימייל החיבוק, שדרכו ניתן לשלוח את הדבר הפשוט וההכרחי הזה שכולנו צריכים מדי פעם בפעם.

אז הנה אני קודם כל שולח לך חיבוק, חיבוק אמיץ וחם וגדול, ללא שום תנאי, חיבוק שמצורף אל האימייל הזה גם אם אתה לא רואה אותו כקובץ נלווה עם הסימן של המהדק הקטן, ואני מבטיח לך שהכל יהיה בסדר, באמת יהיה בסדר, ושבעוד זמן לא רב עוד תשב ותצחק על התקופה הזאת עם החברים שלך שכל כך פחדת מתגובתם, ואני גם נודר בפניך נדר שלא אספר דבר מכל מה שכתבת לאף נפש חיה או מתה, ובוודאי לא להוריך ייבדלו לחיים ארוכים.

ומצד שני אני סמוך ובטוח שהחיבוק כבר נמצא בתוכך, ואם תפשפש מעט בין הבהלה שמתקדמת לך במעלה הגוף ובין הקול המוכר להחליא שמייעץ לתקוע כדור בראש ולגמור עם הכל, תמצא אותו, חיבוק מלא אהבה אליך, נדב.

והנה גם ציור שמצאתי באינטרנט להביע ולו במעט את מה שאני מרגיש בעמקי לבי, ואגב כך להפגין בפניך את יכולות הגזור־הדבק המפותחות שלי – מה אתה אומר?

http://imgres?ingurl=http://storage.tipo.co.il/scops/8/i_love_
=-you_teddy_b.jpg&ingrefuel

נדבי, אני יכול להתוודות לפניך שרגעי הייאוש האלה הם לא נחלתך הבלעדית, גם אני מתמכר אליהם מעת לעת, אלא שאצלי במקום הקול הלחששני שמייעץ בארסיות לגמור עם החיים וזהו, אני שומע כבר כמעט שישים שנה (נו, איך שהזמן רץ. שישים שנה בעוד חודש וחצי – מזל עקרב!) את קול הדאגה התמידי.

הקול הזה, המלווה בצליל גבוה של כינור מיותם, רוטט, לופת באגרופי ברזל של שקר ואיום את בת־נשמתי הזעירה, ומערפל את מחשבותי, ואני כולי נתון למרותו של עריץ המתח והבהלה, עריץ שלא התגלה לפני מעולם בצלם או בדמות, לא הואיל להציג את עצמו בשמו ובמניעיו, אלא הוא מושך מתוך מעמקיה העכורים של הנפש בחוטים בלתי נראים, דורך את חושי, מכווץ את שרירי, כבר שישים שנה כמעט.

ואני מנסה שוב ושוב להילחם בו, מתרגל נשימות מדיטציה, שיטת בן גוריון לעמידה על הראש, שיטת פאולה לכיווץ השרירים הטבעתיים, שיטת אלכסנדר לשמירה על גו זקוף ומחשבה צלולה, ריפוי בעיסוק, ביופידבק (גם המדריכה וגם המכונה התייאשו ממני אחרי שמונה מפגשים שעלו כולם בתוהו), NLP, דמיון מודרך, תרפיית צלילים, ביבליותרפיה, הידרותרפיה, טיפול בחוקן ופרחי באך, ניסיתי הכל, באמת, אבל הוא נשאר, תמיד, הקול המרושע של הדאגה התמידית והבלתי מוסברת שמייבשת את לחלוחית החיים מכל תא בגופי.

הייתי בטוח שאני והוא נרד יחד אל הקבר, שהחיבוק האמיץ של המתח ימשיך לרבוץ על כתפי וללפות אותי עד יום מותי, עד שבשבוע שעבר, ביום שמשי רגיל לחלוטין, קרה משהו מוזר ולא־מוזר בעת ובעונה אחת.

מישהו צלצל בפעמון הדלת ואני פתחתי אך לא היה שם אף אחד.

ברגע קטן זה של היסח הדעת הצליח סימבה להגשים את משאלתו החתולית לברוח מן הבית (כן, אותו בית שנותן לו מחסה, מזון חתולים פרימיום, מים וכריות הסבה קטיפתיות) ונמלט החוצה, אל חדר המדרגות, ואני, שהייתי כהרגלי לבוש תחתונים בלבד (מן הפריבילגיות הבודדות של חיים ערירים על סף הגיל השלישי!),

גיליתי לחרדתי שדלת המבואה של הבניין המשותף פרוצה לכל רוח, ומכאן הסכנה הברורה והמוחשית שסימבה יֵצא במרוצה אל הכביש ויימרח תחת צמיגיה של מכונית נוסעת.

לכן לא היתה לי ברירה אלא לצאת מיד, כמו שאני, ברגליים יחפות, לרדוף אחר החתול ולהשיבו הביתה, אך הוא מהיר ממני, דוהר אל הרחוב, רץ אל המכוניות החולפות, ואני צורח לו שיעצור, והוא דווקא נהנה שבעתיים מן המשחק המסוכן ומנצל את יכולותיו האתלטיות כדי לקפץ מעל גדרות האבנים של הבתים המשותפים ולהזדחל מתחת לשיחי ועד הבית, ובתוך כל המהומה הזאת, כשבסופו של דבר עולה בידי ללכוד את החתול הנמלט, אני שומע צחוק מתפקע כמו שלא שמעתי מימַי, ומיד נמלא רוגז על הצופים הלא־קרואים במחזה המגוחך, אבל הצחוק נמשך עוד ועוד, חצוף, פראי, מגעגע, פעמוני, ושם, על גדר הבטון הנמוכה שבה לכודים לעד חלוקי אבן בגדלים שונים, יושב ילד קטן, בן שלוש, אולי ארבע, מתולתל, בעל שיער צהוב (או חום? או כתום?), עיניים גדולות, בהירות, דומעות מרוב צחוק, ומצביע עלי ומגעגע ומתפקע, ואני מבין כמובן את הגיחוך שבמעמד, משום שיצאתי מהבית כשממותני משתלשלים תחתוני סבא מהוהים שיצאו כבר מזמן מן המודה, ובמקום לרתוח ולכעוס על הילד אני מתמלא פתאום ברגש אחר, של אהבה וחמלה, ואני שואל אותו בכנות, תגלה לי בבקשה, צוציק, איך אתה עושה את זה למען השם? איך אתה מצליח לצחוק ככה, בלב שלם, בלי לדאוג בכלל, בלי שום סיבה, רק מלשבת ככה באמצע היום ברחוב?

אבל הוא לא עונה לי, אף שניכר בפישר שהבין היטב את השאלה, וסימבה, הפושע שהחל את כל הדרמה וכלוא עכשיו בין זרועותי, מתחיל לשרוט אותי בציפורניו לאות שהגיע הזמן לחזור הביתה, אל קערית הטונה והמים הטריים, ואני מתמלא חשדנות

ופליאה על כי עד היום כלל לא ראיתי את הילד הזה, והיכן הוריו, אמו, אביו, כיצד הם מפקירים אותו כך באמצע היום, ואני שואל אותו, אתה גר כאן? אתה בכלל מכאן (כלומר – פתח תקוה, ובהשאלה – ישראל, המזרח התיכון, כדור הארץ)? והוא אומר, לא, סבא, אני מרחוק, רחוק מאוד, ואני אומר כמעט בהיסטריה, מהיכן? ספר לי איפה אפשר ללמוד לצחוק ככה, בלב שלם. איפה אתה גר? בתל אביב? בחיפה? שמה האנשים צחקניים יותר? והוא אומר בקול רגוע ועולץ, לא, בארץ אחרת.

היכן? אני חוקר אותו כמעט בייאוש, והוא מצביע על השמים ואומר, רחוק רחוק, סבא, הכי רחוק בעולם! ואני אומר, מה? ואז עושה את הטעות הפטאלית הזאת ומפנה לרגע אחד את המבט מהילד אל השמים הכחולים, וכשאני מסתכל עליו שוב, הצוציק כבר לא שם! נגוז, נעלם, גדר הבטון שעליה ישב ניצבת חרישית ואילמת, ואין כל עד ראייה למחזה!

לאורך כל אותו יום שחזרתי במוחי את פרטי הבוקר המוזר הזה – הצלצול הבלתי מוסבר בדלת, מנוסתו הנחושה של חתול הבית, המרוץ העירום, הצחוק המגעגע, והילד המוזר והמופלא הזה, על תלתליו השופעים, והגוף הקטן שמחלץ מעצמו את מוזיקת הקיום האנושי בצורתה המזוקקת ביותר, **הצחוק** – וניסיתי לדלות מנבכי זיכרוני עוד פרטים משום שהתברר לי שהשאלה ששאלתי את הילד המתולתל כמעט בהיסח הדעת היא בעצם ביטוי של שאלה קיומית שהדהדה בתוכי במשך כל ימי חיי על האדמה: איפה לומדים לצחוק ככה? איך מבטלים את קולות הכינור הרוטטים של המתח ושל הדאגה? איך עושים את זה למען השם, בלי טיפול פסיכולוגי, בלי כדורים פסיכיאטריים, בלי חוקן, בלי פאולה, איך?!

ולאט לאט השתכנעתי כי היתה כוונת מכוון מאחורי שרשרת האירועים הסתמיים-לכאורה האלה, מין קריאה אחרונה לנוסעים

לקראת גיל שישים, וכשהפכתי שוב ושוב בפרטי המפגש התחזקו בי הידיעה וההכרה כי עלי לנסוע אל המקום הרחוק ביותר העולה על הדעת, פשוט לארוז מזוודה, לתפוס טקסי לנמל התעופה ולעוף מכאן, בלי תכנון מוקדם ובלי קצה קצהו של רעיון איפה אהיה ומה אעשה, פשוט לנסוע – הכי רחוק שאפשר.

באהבה,
דוד מיכאל

[כעבור שבועיים וחצי]

מיכאל היקר,

בכיתי כשקראתי את האימייל שלך.

מה זה בכיתי, הדמעות הטביעו את מסך המחשב במשרד של אבא, ואחר כך הרטיבו את ההדפסה שסחבתי איתי כמו איזה דביל לבסיס בצבא.

מה שאומר שבמקרה שלי צה״ל נכשל כישלון חרוץ, כי במקום לעשות ממני גבר־גבר, כמו שהמ״כים בטירונות הבטיחו לנו, בסוף סתם יצאתי יותר רכרוכי. וכן, אני כותב שירים למגירה, אבל לא היה לי מושג שאמא מקריאה אותם לכל המשפחה בטלפון. אני עוד אבוא איתה חשבון, כמו שאומרים, אבל זה לא יקרה בקרוב בגלל שאתה לא תאמין, דוד מיכאל, אבל החזירים האלה ריתקו אותי לבסיס עד סוף הטירונות, מה שאומר שאין יציאות ואין שבתות ואין חמשושים ואין כלום, וקשה לי קשה לי.

השבוע היתה לנו הרצאה על חלקי ה-M16, מהסתרשף ועד החרירית פרפרית **ופין שבת**, ואז, כמו בתיכון, הם הוציאו דפים לבוחן פתע, והמ״כית השמנה המכוערת השרמוטה אמרה לכל המחלקה לא להפוך את דפי השאלות עד שהיא נותנת לנו רשות, ואני הסתכלתי על עדר הנבחנים שלא חלמתי בחיים שאהיה חלק מהם, כל מיני זוהמות אנושיות שצה״ל גירד מהתחתית של התחתית של הג׳יפה של החברה הישראלית, פושעים קטנים שיעשו הסבה לטכנאי קירור, סקס־מניאקים ואנסים בפוטנציה, שהולכים

להיות נהגים או טבחים שיוצאים שבוע שבוע, כולם חבורה של דפ"רים דגנרטים שרק מהדרך שבה ההברות מתפצפצות להם על הלשון אתה יודע שמנת המשכל שלהם בתחת, והקיצר מרוב מחשבות של סנוביזם ודיפרסיה הפכתי בלי לשים לב את הדף לפני כולם והמ"כית, בעיני הנץ שלה, שעומדות בניגוד מוחלט לקווי המתאר ההיפופוטמיים של גופה, ישר התבייתה עלי כמו טיל מונחה ואמרה, צהובי, עוד לא אמרתי להפוך דפים! אתה שובר פקודה! והוסיפה אותי בחיוך ניצחון לאיזו רשימה של מועמדים לעונש קולקטיבי או משהו מטומטם כזה.

הקטע הכי מסריח היה שכשהם החזירו את המבחנים אחרי יומיים, כולם, מהטבחים עד אחרון הנהגים, עברו את המבחן בהצטיינות יתרה ורק אני קיבלתי נכשל על סעיף "רמאות", וכמובן שכולם חגגו על ההשפלה הפומבית הנוספת שלי, ואני רק החזקתי את המכתב שלך צמוד צמוד וחזרתי מתוך דמעות על המילים היקרות שכתבת לי, שאתה מכיר וזוכר את נדב ההוא, שצוחק ומחייך ושותה כוס יין במסיבה, והזיכרון העמום הזה החזיק אותי עד סוף השבוע, כי ידעתי שביום שישי הזה כל המחלקה שלנו יוצאת שבת, ואיזו התרוממות נפש זו היתה כשעמדנו בשורה ליד האפסנאות וכל אחד לקח בתורו את הקיטבג שלו עם השם שמרוח בטוש שחור, ואני כבר ידעתי שזהו, סגור, אם נתנו לי לקחת את הקיטבג אז אני יוצא שבת כמו כולם, אלא שאז הגיע הקצין־תו ופתח את רשימת המוענשים השבועיים, ולמרבה חרדתי קרא בשם אחד ויחיד, בשם שלי, נדב, כמי שנשאר שבת למרות שכל המחלקה יוצאת, כן, בגלל הסיפור של הבוחן, וכולם צחקו את הצחוק הכפול שלהם, של השמחה לאיד ושל ההקלה, ואני לא יכולתי לעכל את הרגע, כאילו – מה קורה לי?! עברתי בהצלחה מבחני בגרות של חמש יחידות באנגלית וחמש יחידות במתמטיקה, ובסוף

אני נשאר שבת בגלל שהפכתי את הדף בבוחן לפני הזמן?

אני לא רוצה להישמע יותר מלודרמתי ממה שנשמעתי עד היום, אבל הרגע הזה כשעמדתי בשער הבסיס ביום שישי בצהריים עם חגור כבד על הכתפיים ומחסנית בהכנס, הרגע הזה, כשידעתי שהם הולכים בעוד שעה או שעתיים לקבל נשיקה מאמא, לחטוף משהו לאכול מהסיר עם האורז והבשר שמתבשל לכבוד ארוחת שישי, להיכנס למקלחת ואחר כך, נקיים ושבעים מאוכל של בית, להרים טלפונים לחברים ולקבוע לצאת, הרגע הזה, כשראיתי את החבורה העליזה הזאת מתרחקת ממני והופכת לנקודה קטנה באופק לא מושג, וכל זה בגלל גחמה של מ"כית קרצייה מארץ הקרציות שהתגייסה אולי חצי שנה לפנַי, חצי שנה קיבינימט, זה הכל!!! הרגע הזה פשוט שבר אותי, וניסיתי בכוח לא לבכות, כולה חייל שנשאר שבת בטירונות, מה הביג דיל, אבל הרוע הקבוצתי הזה של החיילים האחרים, יחד עם הסאדיזם של לתת לי את הקיטבג ולתת לי להריח את האזרחות וברגע הבא לקחת ממני את המתנה היחידה שחלמתי לקבל – זה היה פשוט יותר מדי, ובחיי שהסתכלתי לסתרשף בעיניים וליטפתי את החרירית פרפרית בקטע של מותק, עוד מעט תטיסי אותי לעולם שכולו טוב.

עכשיו לילה, בין שישי לשבת. המחשבות קודחות לי במוח בלופ אינסופי ואני לא מצליח להשתלט עליהן, לא מצליח לתפוס את קצה המחשבה שמסתלסל סביב עצמו בספירלה של פניקה.

כשהייתי תיכוניסט תמים הייתי שומע מדי פעם ויכוחים פילוסופיים על הטוב ועל הרע בעולם, ובעיקר עניינה אותי השאלה האם הרוע הוא ישות בפני עצמה או רק היעדרו של הטוב, כמו שהחושך הוא בסך הכל היעדר אור, וזה תמיד נראה לי כל כך רחוק, כל כך לא רלוונטי לחיים האלה, מין דיון תיאורטי שלא

קשור לכלום, אבל עכשיו, כשאני אחרי שמירה מבאסת לאללה, כשאני כותב לך בעט ונייר כמו בימי קדם (אחר כך אסרוק הכל בבית ואשלח לך באימייל, בכתב ידי האותנטי, מה אתה יודע!), עכשיו כשהכתפיים שלי רצוצות מהמשא הכבד של החגור עם המחסניות והמימייה המושתקת במים מעופשים שרק מללחלח בהם את השפתיים אתה מתחיל להקיא, עכשיו, דוד מיכאל, אני פשוט מרגיש אותו נוכח, הווה, ממשי, את הרוע עצמו. רוע הלב של הקצין־תו הסאדיסט, ורוע הלב של המ״כית הבת זונה, ורוע הלב של כל המחלקה, שרואים אותי בצורה פיזיקלית אבל לא רואים אותי מבחינה פסיכולוגית, לא רואים ממטר, אני מבחינתם רק דמות גרוטסקית שכיף ומצחיק להשפיל אותה עוד ועוד, וכשאני כותב לך עכשיו אני נזכר בטירון לבנבן עור, עם עיניים ירוקות ושיער ג׳ינג׳י, שרגע לפני שעלה לאוטובוס לצאת שבת, הסתובב חצי סיבוב ככה עם הגוף, הסתכל לי ישר בעיניים, סימן לי וי עם האצבעות וצחק.

אני יודע שהרוע קיים כישות עצמאית גם בגלל שאני מצליח לראות אותו נדבק אל תוכי, במחשבות הרעות והעיקשות שמלהיטות אותי **לנקום**. וכאן המוח, שגרם לי להיות פעור שוב ושוב, דווקא מפגין יצירתיות ראויה לציון. הוא מציע לי להבעיר את ברכת הדלק שנמצאת בקצה הצפוני־מזרחי של הבסיס, או לפזר רעל עכברים בתורנות מטבח אל תוך סיר המרק, או פשוט לפתוח את הנצרה, ללכת אל הביתן המגוחך של הקצין־תו ליד רחבת עליית המשמר, להעביר לאוטומט ולרסס אותו בכדורים.

אין לי מושג איך אני אסתדר שלוש שנים תמימות במסגרת הזאת, אני לא יכול שמחזיקים אותי קצר כל הזמן, אני לא רגיל ללכת כל הזמן עם ראש כפוף ולקבל כאפות על ימין ועל שמאל, ולא יודע מה לעשות, רק שיר אחד מעצבן קודח לי במוח, זה שיר

של עופר לוי שהערסים בטירונות שלי אוהבים לשיר בקולי קולות עם הרבה סלסולים, ובעל כורחי הוא נדבק גם אלי, והאמת, אני מתחיל להזדהות עם המצוקה הנפשית של המשורר, שמתוודה במילים פשוטות על מר גורלו:

הָיְתָה לִי מִשְׁפָּחָה וְחַיִּים יָפִים
אֲבָל הַכֹּל לָקְחוּ מִשְׂחֲקֵי קְלָפִים
שׁוּרוּ נָא, שׁוּרוּ נָא
זֶהוּ גּוֹרָלִי
לָמָּה זֶה הַשָּׂטָן בָּא אֶל תּוֹךְ לִבִּי?

ואני בוכה איתו.

בינתיים הכל שקט כאן. השעה שלוש בלילה, ורק הפנסים הכתומים מהסוג המוזר שיש רק בצבא מאירים את רחבת המסדרים, ונחיל של יתושים זמזמניים מרפרף ביניהם. אולי אלך להתקלח עוד מעט ואחרי זה אשלים שעות שינה, לקראת עליית משמר בשעה שש ורבע.

בשבת בבוקר.

נדב

נ"ב

כאילו לא מספיק כל הנאחס שיש לי עכשיו בחיים עם הגיוס לצבא וכל החרא הזה, אז עכשיו גם במשפחה שלנו יש אקשן, ויש לך מזל שאתה בחו"ל ולא במוקד הלהבות במזרח התיכון. כל הסופ"ש הקודם, לפני שנשארתי שבת, ההורים שלי קדחו אחד

לשני במוח ומכל הצרחות והצעקות הבנתי פחות או יותר מה קרה.

אז ככה: הסיפור הוא שדודה רבקה נפטרה לא מזמן וההורים שלי היו בטוחים במאה אחוז שהיא הולכת להוריש להם מאה וחמישים אלף שקל שלכאורה היא חייבת להם כבר עשרים שנה ולא ממש יצא לה לשלם, אין לי מושג למה.

ביום חמישי שעבר כולם הלכו להקראת הצוואה אצל איזה עורך דין נפוח מתל אביב, מין בריון בחליפת שלושה חלקים עם מבט של קוף בעיניים וטבעות זהב על אצבעות הידיים, והקקיונר הזה, כמו שאמא קוראת לו, הזמין את ההורים שלי בהרבה גינוני חנופה לשבת בשורה הראשונה, ממש קרוב לצלחת, כאילו רומז להם שהחוב הגדול של המאה חמישים אלף שקל, שהם סוחבים בכיס ובעיקר בבטן כבר המון זמן, עוד מלפני שנולדתי, הולך להגיע אליהם עם ריבית דריבית, ואמא כבר התחילה לפנטז על השיפוץ הכללי שהיא תעשה בבית, ואבא עשה חישובים בראש של כמה יוצא הסכום הזה עם הצמדה למדד והצמדה לסל הירקות והפירות והיוון השערים השקליים המשתנים ופיצוי על כאב וסבל ועוגמת נפש, וכשכולם היו ככה מבושלים טוב־טוב, אז העורך דין הזה, ערס במסווה של פרופסור, התחיל להקריא במתק שפתיים את כל הצוואה, איך הבת הזאת מקבלת ככה והבת ההיא מקבלת ככה, ועמותת יוצאי עיראק מקבלת ככה, וארגון הגננות מקבל ככה, וכל מיני עמותות עלומות, גופים וולונטריים והתארגנויות לשם שמים זוכים כל אחד לכמה עשרות אלפי שקלים, או דולרים, כי הגברת רבקה היתה די אמידה וישבה על אוצר לא קטן של מזומנים ועל אמביציות לא קטנות של עזרה לזולת, ואז העורך דין המאניוק עצר לרגע את שטף הקריאה, הרים את עיניו מעל הכתוב ולקח הפסקה קטנה, ואז אמא ידעה בחושיה החדים שזהו זה, הפור נפל, והיא לפתה מיד את הירך של אבא בציפורניים חשופות ועצרה את

הנשימה מרוב מתח, ועורך הדין ציטט במדויק את הדברים
שהכתיבה לו המנוחה:

"לאחייניתי עדנה, שהיתה יקרה לי אף יותר מבנותי, הריני
מורישה בזאת סכום עגול, מוחלט וסופי בהחלט של אפס
מאופס."

ההורים שלי בהלם, עצבניים, כועסים, שואפי נקם, רוצים לתבוע
מהעיזבון את כל הסכום עם ריבית ופיצוי על עוגמת הנפש. ניסיתי
להרגיע את אמא אבל היא באטרף, אין עם מי לדבר, אני מקווה
שהיא תירגע.

נ"ב 2
כתבתי שיר חדש.

נ"ב 3
לאן נסעת בסוף? מה זה המקום הכי רחוק בעולם? כתוב לי. בבקשה.

[כעבור יומיים]

שלום שלום, אבל איזו שאלה אתה שואל אותי! נסעתי כמובן לאוסטרליה ואני בסידני! סידני המופלאה! הנהדרת! אין כמוה!

האמת היא שעשר שנים בכלל לא הייתי בחו"ל, ופתאום להיות בנמל התעופה המפואר בן גוריון, עם מזוודה וכרטיס טיסה וכרטיס עלייה למטוס שהצלחתי להדפיס בעצמי מהאינטרנט יימח שמו, זאת היתה באמת חוויה יוצאת מהכלל!

הזבניות בדיוטי פרי כל כך מטופחות ומדיפות ניחוח נפלא של בשמים יוקרתיים אפילו שברור שהן גרות באיזו דירת עמידר בבת ים, וצג הטיסות היוצאות לכל העולם מעביר בך רטט של התרגשות.

לפני ההמראה התגנבתי לטרקלין האח"מים, למרות שמעולם לא הייתי אח"מ ואפילו לא התקרבתי לזה, ואכלתי בחינם (!!!) שלושה מאפי גבינה ולעזאזל עם דיאטת האנטי־כולסטרול שלי, ואחר כך הטיסה הארוכה דרך הונג קונג, שגם בה מעולם לא הייתי. מחלון־המטוס הקטן, אם מצליחים להציץ מעבר לכנף הארוכה, אפשר להבחין באי הררי עם גורדי שחקים ויערות, איזה שילוב מוזר ומפעים!

טיסת ההמשך היתה כולה עונג צרוף למרות השעות הארוכות והמעייפות. לצדי ישבה אישה צעירה, בת ארבעים לכל היותר, שערה הבלונדיני עשוי היטב, עיניה כחולות באותו גוון כמו שלי כמעט, אולי מעט בהיר יותר.

רציתי לשאול אותה לשמה, להתעניין לאן מועדות פניה, לספר לה על חתול נמלט ועל ילד צחקקן, אבל, אני מתבייש להודות בפניך, נתקפתי מבוכה וסומק כי תקופה ארוכה מאוד, מאז הגירושים ליתר דיוק, לא שוחחתי ארוכות עם אף אישה אף שהשתוקקתי לכך מאוד, ורק סימבה (סימבה המתוק והאהוב! כבר אני אכול געגועים!

בת השכנים הסכימה לפקוד אותו מדי יום תמורת שכר סמלי, לשעשע אותו במשחקי כדורגל־חתולים ולנקות את ארגז החול שלו), רק סימבה היה לי בן לוויה לשיחה ולמשחק.

כשירדתי מן המטוס וכף רגלי דרכה על אדמת אוסטרליה, ביקשתי מנהג המונית דבר ראשון לקחת אותי אל בית האופרה של סידני הנהדרת, אחד משבעת פלאי תבל.

בדרך לשם אמר הנהג בחיוך, אז מה, פעם ראשונה באוסטרליה? ואני אמרתי כן, והוא אמר, ובכן הסתכל אל השמים, אל הירח, מה אתה רואה? ובאמת ירח מלא, נפלא ובהיר, עמד בשמים בצהרי היום, והנהג אמר, הסתכל על הצלליות שלו, אתה רואה משהו מוזר? ואני אמרתי, מוכה תימהון והשתוממות, כן, הצלליות על פני הירח כאן מתוות את דמותו של הארנב של פלייבוי! והוא צחק ואמר, מאין אתה? ואני אמרתי בגאווה, ישראל! והוא ענה בחיוך עצוב, אני מביירות, לבנון, הגעתי לכאן אחרי שהפגזתם את הבית שלי ב־82', נעים מאוד.

רציתי להתנצל אבל לא היה לי נעים, וממילא הוא כמו הבין, וכשעצר לי ליד טיילת שהיא גם מזח וגם תחנת רכבת, הוא פתח את הדלת במחווה נדיבה ואמר לי, מכאן, אדוני, ואני לקחתי את מזוודתי הקטנה אל הנמל ואל הים הכחול, הרגוע, הים של אוסטרליה, והכל היה מלא קסם ועליצות כרוכים זה בזה יחדיו, השמים התכולים ללא ענן, הים השאנן, גשר סידני משמאלי, גורדי השחקים מאחורי, ומצד ימין, במרחק, בית האופרה הלבן, סגור כמו צדף שבתוכו אוצר פנינה!

לראשונה בחיי נסעתי לחו"ל ללא שום הכנות מוקדמות: בלי שם של מלון, בלי מסעדות מומלצות, בלי מדריך תיירים, והרגשת החופש (החופש הנפלא! בלי שום סיבה!) פיעמה בכל תא מתאי גופי.

אני בסידני, ככה סתם, בקצה השני של העולם, רק מפני שסימבה נמלט וילד אחד צחק, והתחלתי לדלג עם המזוודה הקטנה אל בית

האופרה, והעוברים והשבים חייכו אלי חיוכים סלחניים, כי השמועה נכונה וכולם פה באמת הרבה יותר רגועים והרבה יותר ידידותיים מבכל מקום אחר בעולם.

ילדים קטנים שטיילו שם עם הוריהם לא יכלו להתאפק והצביעו עלי, ומוזיקה נהדרת צלצלה בראשי, ומי הים זהרו באלפי זהרורים עליזים, ואז ראיתי אותם, אשכול עצום של בלוני הליום, מהסוג שפוגשים בירידים, עם בלונים קטנים וגדולים של אריות ונסיכות, באדום, כחול, צהוב, בלונים בצורת עיגול ובצורת יהלום, וכל הבלונים שואפים כל העת בכוח ההליום הקליל לעלות למעלה, מעלה מעלה, אל העננים הרחוקים, אל הירח עם צללית הפלייבוי. שאלתי את הנער־המוכר, כמה זה בבקשה? והוא אמר, חמישה דולר לגדול, שלושה לקטן, ואמרתי, לא, התכוונתי כמה זה לכל הבלונים. והוא פער עיניים נדהמות ואמר, כל הבלונים אתה מתכוון? רק בשבילך? כן! רק בשבילי! חמש מאות דולר אוסטרלי הייתי אומר, ענה הנער, כובש את התרגשותו, והוצאתי את הכסף מכיסי, במזומן, ובתוך דקה הם היו שלי, כמו בחלום ילדות ישן, עשרות בלונים צבעוניים, כולם כולם שלי!

הלכתי בבגדי המקומטים מטיסה של עשרים שעות פחות או יותר, בפני שקמטים וזיפים חרצו אותם לאורך ולרוחב, עברתי בין הילדים המטיילים על המזח, ממש ליד בית האופרה, וחילקתי להם את הבלונים כולם, בלון לכל ילד, ויש מהבלונים ששחררתי לאוויר, ויש כאלה שקשרתי אל ספסל, או נתתי לגברת אוסטרלית קשישה ומגונדרת, וקרבתי אל שני קבצנים אבוריג׳ינים שחורי עור, שניגנו שירים עצובים במעין קרן ארוכה, וקשרתי את הבלונים אל רגליהם ואל כלי הנגינה שלהם, והמנגינה התחלפה מיד למארש עליז, ורקדתי סחור סחור וצחקתי צחוק טיפשי, כי אני בסידני, ואין מאושר ממני בעולם כולו!

אני כותב לך עכשיו בחדרי בקומה העשרים ואחת של מלון מפואר, חמישה כוכבים, הצופה אל נמל סידני ואל עשרות בלוני ההליום שלי שמרחפים באוויר בחדווה. גרושתי־שתחיה היתה מקפידה תמיד לתכנן את חופשותינו במשורה, ולשכן אותנו במלונות נידחים בעיבורה של עיר, או במבצע כוכבים של איזו חברת אשראי, אבל הפעם, לכל הרוחות, לקחתי לי את המלון הטוב ביותר, בחדר מפואר שמעולם לא הרשיתי לעצמי להזמין כמוהו.

על השולחן מונחת סלסילת פירות טרופיים מתנת מנהל המלון (כנראה הבחין ביצר הבזבזנות של האורח המוזר מישראל!) ובקבוק שמפניה צונן, מובחר שבמובחרים, מכרמיה של אוסטרליה, ללגום עם עצמי, ואני בחלוק לבן, מעט רטוב אחרי שחייה נהדרת בבְּרֵכה המיועדת לאורחי המלון בלבד, בקומה האחרונה, ואני תוהה ביני לבין עצמי על השאלה שהעלית בפני בדבר הרוע האנושי, רוע שקצת קשה להבחין בו כעת, כשאני מעסה את גופי בקרם הגוף היוקרתי מתנת ספא המלון (איזה ריח נפלא! אין אישה בסידני שלא תיכבש בקסמיו!), אבל כמי שבילה על כוכב הלכת הזה ובגלגול הזה בשישים השנים האחרונות מובן שנתקלתי בו פה ושם, ברוע האנושי הצרוף. למשל בשרשרת הפושעים שעברו תחת ידי בפרקליטות מרכז, וכן בגירושים מן הסוג המכוער (לא רק משמורת מלאה על שני הבנים אלא גם מסכת הסתות, הטרדות, נאצות וקללות שגרמו לי להצטער על הרגע שבו פגשתי בה!), כן, גם אני, כמו כל אחד מיושבי כדור הארץ, תהיתי על מקומו של הרוע בעולם.

לאחר שקלא וטריא ביני לבין עצמי אני גאה לחלוק איתך את מסקנתי הבאה, והיא שלמרות כל החוויות השליליות של כולנו הרי שלעניות דעתי אין בעולם רוע כממשות בפני עצמה.

מחלות קשות, שיטפונות, התפרצות הרי געש, סופות שלג מחרידות, רעב, בצורת, מגֵפות, מוות פתאומי והמוני, ילד גוסס

מקדחת, משפחה נחנקת בביתה העולה בלהבות, חתול נדרס תחת צמיגי משאית דוהרת – בעיני, נדב היקר, אלה אינן דוגמאות לרוע אלא צורת הביטוי ההכרחית של הטבע, שחוקיו מכתיבים מדי פעם בפעם צרות כאלה ואחרות, ללא שום כוונה נסתרת מאחוריהן.

הרוע היחיד בעולם הוא התאכזרותו של אדם אל עצמו ואל זולתו, בין כיחיד ובין כקבוצה, אבל גם זה אינו רוע באמת אלא רק התרשלות בשמירה על הטוב! אתה מבין, נדב? המ״כית שלך, הקצין־תו (מה זה?), החיילים האחרים שתיארת, כולם בעינַי טובים בבסיסם, ואם הם נוטים אל המעשים הרעים אין זאת אלא משום שהם שכחו, מתוך טמטום או ערפול חושים, לרצות את הטוב ולרדוף אחריו!

נדב, אני יודע שהחיים נראים לך כרגע עוינים וקשים והאנשים סביבך חורשי מזימות וזדון, אבל תזכור בבקשה שהימים הטובים, ימי השחרור הגדול, עוד יבואו.

כמו שאמרו בטירונות בזמני, וזה היה לפני כמה וכמה עשורים טובים, ״עוד לא נולד המניאק שיעצור את הזמן״.

אולי בפעם הבאה שתצא הביתה, תיקח לך עפיפון ותעיף אותו לשמים, תראה איך הרוח יכולה לקחת אותו לכל מקום – לא צריך יותר מקצת רוח כדי לעוף גבוה מאוד – ובינתיים, אם תרשה לי, אכתוב לך עוד ממסעותי בעולם, מסעות שהם כרגע בלתי מתוכננים לחלוטין אולם יש לי הרגשה ברורה ודי ודאית שבדפים הבאים של המכתבים בינינו צפונות עוד הרפתקאות רבות, גם לי וגם לך.

ושלח לי את השיר שלך, אני סקרן לקרוא!

בציפייה רבה,

דוד מיכאל

[כעבור שבוע וקצת]

אהלן מיכאל,
חשבתי הרבה על מה שכתבת על הרוע האנושי, כלומר שאין דבר כזה בכלל, ושמה שיש הוא טוב שאנחנו מתרשלים בשמירה עליו. אני יכול להבין אינטלקטואלית מה שאתה אומר, אבל הרגש אומר לי שאתה טועה בגדול. רק תראה איך אנשים ממש מתענגים על הרוע, כעל ישות ממשית לא פחות מהטוב. נדמה לי בכללִי שאתה בתקופה קצת כזאת של לה־לה־לנד, אתה איבדת את הצפון וכנראה גם מבזבז בלי חשבון, ושיהיה לך לבריאות, אבל כאן תורי להזכיר לך שלכל שבת יש מוצאי שבת ושמתישהו תצטרך לחזור אל התופת, לכאן, עם כל הבאסה והאין־סבבה.

לגבי עצמי, מצד אחד יש קצת שיפור במצברוח כי הטירונות סוף סוף נגמרה ברוך השם, אבל מצד שני, כמו תמיד, צרות חדשות עומדות בפתח.

עד הדקה האחרונה בבסיס הטירונים הייתי באטרף היסטרי שהם הולכים להכריח אותי לעשות את זה עוד פעם כי נכשלתי שוב ושוב בבוחן המטומטם על ה-M16 ולא נכנס לי שום דבר לראש כי זהו, השוקיסטיות שלי הפכה אותי לכזה מטומטם שלא הצלחתי לענות נכונה על עשר שאלות ולא הצלחתי לפרק את הנשק כמו שהם ביקשו וכל הזמן נפל לי מהידיים הפין שבת.

לא יכולתי לישון מרוב אימה, כי המחשבה הזאת, אלוהים ישמור, פשוט הצליחה להתנחל לי במוח ולהפוך למציאות ממשית: הם באמת הולכים לאלץ אותי לעשות את הטירונות עוד פעם, וגם בה אכשל, כך לעד, אהיה טירון נצחי, טוראי נצחי, שסופג כל הזמן צעקות וצרחות וצווחות ופקודות ויחס משפיל, וניסיתי להתווכח עם המחשבה הזאת, נזפתי בעצמי, מה אתה חופר כל הזמן, מספיק

כבר, אבל היא, המחשבה הרעה, הפעילה עלי את כל כוחותיה, הציפה אותי בנהרות של פניקה, של חוסר אונים, ואליה הצטרפה בת הלוויה הקבועה שלחשה לי בארסיות, נדבי'לה, מחכה לך כל כך הרבה סבל שפשוט כדאי לך להתאבד, תעשה לעצמך טובה גדולה ותירה לעצמך בראש, וכבר הרגשתי שאני משתגע, שאני מתחרפן, אבל בסוף המ"כית יצאה גבר וסידרה לי אישור לסיים את הטירונות וחלאס, כנראה שגם לה נשבר הזין כבר מלראות אותי מסתובב לה בין הרגליים עם ההלם בעיניים.

עכשיו אני בבקו"ם עד שהם יחליטו מה קורה איתי. הם לא ישחררו אותי על אי־התאמה אבל מצד שני אין להם בדיוק מה לעשות איתי לאור חוות הדעת השלילית־בזנ"ט של המפקדים שלי בטירונות.

זה משגע אותי לחשוב שכל הבלגן הטיפשי הזה התחיל בגלל שאבא שלי התעקש שאדחה את הגיוס בשבועיים כדי שניסע ביחד למסע תענוגות במחנות ההשמדה (עד עכשיו יש לי סיוטים שהמקלחת ננעלת עלי ובמקום מים חמים יוצאים גזים) וככה פספסתי את מחזור אוגוסט ואת כל הקורסים השווים ונפלתי בין הכיסאות. אז עכשיו אני מחכה לגודו, ובינתיים ישן בשק"ש באוהל ובמשך היום עושה עבודות רס"ר.

על היום הראשון שיבצו אותי לתורנות מטבח ואני חשבתי שזה יהיה סבבה, לבשל עם כל השפים לעתיד ולהכין איתם את עוגות החנק שהם מגישים בתור קינוח לקצינים ואת הסלטים מהגיהינום שרק אלוהים יודע איך הם מצליחים לקלקל, להסריח ולהבאיש בכזה כישרון, אבל מהר מאוד התברר לי שהתפקיד הענוג שמחכה לי הוא שטיפה של סירי ענק, בשריים וחלביים, שהתחתיות השרופות שלהם ראו כבר עשרות מחזורים של טירונים מיואשים שניסו לשפשף אותן ללא הצלחה.

למרבה הצער גם הגורל שלי היה לנחול תבוסה מוחצת בקרב על
הניקיון, כי הפיח והאבק שהצטברו שם לג׳יפה לא הראו שום סימן
כניעה לתכשירי הניקוי והקרצוף המסרטנים ביותר שיכולתי למצוא
על המדף הרעוע, שבור הבורג, שמותקן מעל עמדת שטיפת הכלים.

אחרי עשר דקות הייתי כולי שטוף מים ורועד מקור והמשכתי
להטביע את התחתיות האפלות במים ועוד מים ועוד מים, ושלוליות
שחורות נקוו מתחתי, על רצפת הבוץ של החדר האפלולי, הטחוב
והמעופש, ובדיוק אז, כשהתחלתי לאבד את התקווה, כשדמיינתי את
המוות בתור מקום יבש ושקט שבו אוכל לנוח לנצח, נכנס אל החדר
מין גמד קירח עם עיניים חומות ובולטות, רס״ר המטבח על פי
תוארו ומעמדו, ופתח עלי את הפה המסריח שלו בקללות בערבית
ובגרוזינית ובעוד שפות שלא כתובות בתנ״ך, מה אני עומד שם כמו
כוסית, כמו נקבה, כמו שרמוטה משועממת עם כוס רטוב בלילה
בבורסה של רמת גן ולא עושה כלום עם הכלים ומה זה, הוא בעט
באחד מסירי האלומיניום האימתניים, שרופי התחתית, מה זה כל
הג׳יפה הזה, ואני אמרתי לו, אדוני הרס״ר, אני בקושי חודשיים
בצה״ל ושכבת הלכלוך הזאת היא עוד מימי הפלמ״ח, והוא פתח עלי
עיניים גדולות כאלה וצרח, מה זה?! ואמר שהוא הולך לקצין-תו
(קיצור של קצין תורן, לשאלתך. יצור חולה סג״מת שמחפש לתקוע
חופשי תלונות לחפ״שים) ושהוא יעלה אותי על טיל על התחצפות
ועל סירוב פקודה ושאני עוד אשמע ממנו.

כמובן שהיום-יומיים הבאים עברו עלי בחרדה גמורה, עם כל
המחשבות הסיבוביות האלה, שאני הולך לחטוף אותה, הם יכניסו
אותי לכלא לחמישה חודשים, שישה חודשים, ושם יאנסו אותי,
ויכניסו אותי לצינוק, והגברת הנכבדת הזאת, מרת ״בוא תתקע לך
כדור בראש ותגמור עם זה״, תסרטה לי כל מיני תסריטי זוועה כמו
איך בכלא אני מאבד כל צלם אנוש, אני כבר לא נדב, כבר לא אדם,

רק איזה אסיר מושתן שכל אחד דורך עליו בסוליה הקשה של הנעל הצבאית השחורה, והיא חלקה איתי את התובנות הארסיות שלה, שעדיף לגמור עכשיו עם החרא מאשר להתייגע איתו בימים, בחודשים ובשנים הארוכות של סבל קיומי שעוד מצפים לי, ובסוף זה באמת הגיע, ההודעה שאני עולה למשפט, כי מתברר שכאן, בצבא ההגנה לישראל, אולי להבדיל מהאזרחות, די קל להיות עבריין – כאילו, מספיק לא לשטוף סיר מסריח, או לא לצחצח נעליים, או להתרשל בגילוח, או לאחר בשמירה, או חס וחלילה לאבד את הנשק או לעבור על אלף ואחד כללים וחוקי מטכ״ל שלעולם אין שום אפשרות להכיר את כולם, אך אי־ידיעת החוק כמובן אינה פוטרת מעונש!

כל הלילה שלפני המשפט התהפכתי על משכבי המגרד והמג׳ויף בשק״ש הצה״לי שהאותיות נדב כתובות עליו בטוש שחור ועבה, מהימים שעוד פיעמה בי תקווה לשירות צבאי מוצלח.

במשפט היינו שלושה, הנאשם (אני), העד (הרס״ר) והשופט (המב״ס), סא״ל חתיאר בן ארבעים פלוס שמבזבז את הזמן שלו על משחקים בקקה בקטע של איזה חפ״ש שבר שמירה ואיזה שבר פקודה, ובקול הבס העמוק, הרועם והסמכותי שלו הוא הקריא את כתב האישום הקצר על סירוב פקודה או משהו כזה, ואני האמת פרצתי שם בבכי באמצע המשפט, כי מעט הגבריות שהיתה לי נעלמה לגמרי בימים המרים האלה, ואמרתי שלא הצלחתי לשפשף את הג׳יפה, זה הכל, והתנצלתי על ההערה המטופשת על ימי הפלמ״ח כי זה באמת היה מיותר, והשופט המכובד עם הפלאפלים האדמדמים על הכתפיים שלו נראה רציני כאילו הוא מינימום גוזר את דינו של איזה נאצי במשפטי נירנברג, והוא שתק שתיקה ארוכה ומאיימת כזאת, ואני דמיינתי את הרע ביותר, חמש שנים, עשר שנים בכלא, עבודות פרך, צינוק, הוצאה להורג מול כיתת יורים,

ובסוף הוא גזר עלי קנס של חמישים שקלים, זה הכל, עגנון אחד
וכל הפרשה הזאת מאחורי, ואז הצדעתי לו וכל השטויות האלה
ויצאתי משם בתחושת הקלה אבל גם עם מועקה נוראית בחזה, מין
ענן שחור וכבד בגלל הקלות הזאת שבה אפשר להסתבך עם החוק
בשירות הצבאי.

למזלי בימים הבאים כבר לא התנכלו לי, כאילו מישהו מלמעלה
נתן להם הוראה לרדת מהגב השפוף שלי ולהניח לי לנפשי, ובמקום
תורנות מטבח שלחו אותי לעבודות טאטוא ברחבי הבקו"ם, ומאז
אני אוחז בידי את מטאטא הקש הגדול ואת יעה הפח ועם כל
תנועת טאטוא ברחבת המסדרים או במדרכות הצרות והארוכות של
הבסיס, עם כל תנועה אני הולך ונעלם, הולך ונמחק, לא רק
מבפנים אלא גם מבחוץ, כי החיילים הרבים בבסיס, הקצינים גבוהי
החוטם, החיילות ירוקות הירכית, ואפילו אזרחים שמזדמנים פה
ושם, מילואימניקים, אזרחים עובדי צה"ל – כולם פשוט לא רואים
אותי, אני בשבילם לא פונקציה על הרדאר, אני נמחק ונעלם ומה
נותר ממני, רק מספר אישי והרשעה צה"לית אחת בדין וקצת
זיכרונות מאיזו בר-מצווה אחת ששתיתי בה יין אדום.

שתי נקודות אור יחידות יש לי בתקופה השחורה והמגעילה הזאת.

הנקודה הראשונה היא הרגעים השקטים והאינטימיים שלי, ביני
לבין עצמי, לרוב אחרי שמירת לילה בבקו"ם, כשאני חופשי לכמה
שעות מהטרדות המפקדים ומאיומי הרס"רים, כשאני חוזר לכמה
רגעים להיות בן אדם, עם רצונות, חוויות ותקוות, ואז אני לוקח את
הפנקס השחור שהבאתי מהבית (כן, מהימים שעוד זכיתי לראות
בית ולנשום אוויר של אזרחות), ואת העט הכדורי, ואז אני ככה
חוטא לי בכתיבת שירים.

עכשיו אתה חייב להישבע ולהבטיח לי שלעולם לא תראה את

השירים שלי לאף אחד, אני יודע שהם ממש בוסר ועדיין לא מספיק טובים, ואני חולק אותם איתך רק בגלל שאתה נקודת האור השנייה שלי.

אז הנה אחד מהם, טרי טרי מפס הייצור, שכתבתי ברגע של שביזות אחרי קבלת גזר הדין מהמב"ס:

הַלְּבָנָה הַמְּפַזֶּמֶת לַיָּקִינְטוֹן
הָאוֹקְיָנוֹס הַסּוֹעֵר לְעֵת לַיְלָה
לֹא יֵדְעוּ עַל זֶה הַקָּטֹן
שֶׁנִּשְׁמָתוֹ בּוֹכָה וְאֵין דַּי לָהּ.

מָוֶת אָרֹךְ וָקַר
כְּמוֹ פַּסֵּי רַכֶּבֶת
כּוֹכָב קָפוּא, עָקָר,
נַפְשִׁי אֲשֶׁר דּוֹאֶבֶת.

אז הנה כתבתי לך את השיר ואני כבר מתבייש בו, הוא נראה לי כל כך טיפשי ורגשני, ובעיקר אני מתלבט כבר כמה שעות לגבי השורה האחרונה שהיא יותר מדי "פטיש חמש קילו על הראש", אבל אם כבר טרחתי להקליד ולנקד אז לא משנה, שיהיה לך לבריאות, רק אל תלעג לי, הדבר האחרון שאוכל לקבל עכשיו אחרי השטיפה מהרס"ר והקנס מהמב"ס זה יחס לגלגני מקרוב משפחה.

אבל אני סומך עליך, מיכאל היקר, כי כמו שכתבתי לך כרגע יש עוד נקודת אור בחיי האומללים והעלובים והיא כמובן המכתבים שלך. יכולתי לרגע לעצום עיניים ולהרגיש שאני איתך, ליד בית האופרה של סידני, מפזר בחינם בלוני הליום לאוסטרלים ההמומים, ואיזה כיף לך שאתה יכול באמת לעשות את זה, לקחת את עצמך

ככה סתם בלי שום מחויבות או תכנון או דאגה ופשוט לעוף לך
לאן שאתה רוצה.

ושתדע שאני לוקח את המכתבים שלך לכל מקום, אפילו
לשירותים ולמקלחת, ובשעות ובדקות הרבות כשגברת "בוא נגמור
כבר עם החיים העלובים שלך" מתחילה לקדוח לי בחפירות במוח,
אני קורא את התיאורים שלך על הדיוטי פרי ועל האוויר הנעים של
חו"ל, ולרגע אחד אני יודע שזה עוד יכול להגיע, זה ישתנה, זה
יקרה, הענן העכור והכבד שמרחף מעל הראש שלי עוד יסתלק
וייעלם ויגלה שמים כחולים, נכון שזה יקרה? תגיד שזה נכון.

נכון?

כשהמכתב הבא שלך יגיע בטח כבר תהיה לי כתובת ד"צ קבועה
ואז לא אצטרך לחכות כמו כלב לצאת הביתה כדי לקרוא אותך על
צג המחשב, רק תתפלל בבקשה על נשמתי המיוסרת והאומללה
שקצין המיון ישלח אותי למקום נורמלי, משהו קל"ב, או אולי
בקריה, שאוכל להיות חייל שוקולד עד הסוף, שאוכל להיות גם עם
בנות, לצחוק איתן, להצחיק איתן, לרקוד איתן, אני כל כך מתגעגע
אל היצורות האלה.

ותודה על כל מה שאתה עושה למעני. ספר לי בבקשה איפה
אתה עכשיו ואיך אתה מבלה באוסטרליה ותיהנה לך עם הטים-טם
האלוהי שלהם.

נדב

נ"ב

תמיד אני שוכח את השטות הזאת, אבל אמא היתה כאן בביקור,
בבקו"ם, ושפכה את הלב על כל מה שקרה עם דודה רבקה לפני
עשרים שנים ועכשיו אני מתחיל להבין את כל הזעזוע והעצבים

שעוברים עליה, עד שלפעמים בא לי לחבק אותה ולהרגיע אותה שהכל יהיה בסדר, ושכולם אוהבים אותה, ושלא תתרגש ותכעס מכל שטות.

מה שהיה זה ככה, אמא היתה האחיינית האהובה ביותר על דודה רבקה, והן היו נפגשות לפחות פעמיים בשבוע ומנהלות שיחות נפש ארוכות, אמא בטח בגלל שהתייתמה בגיל צעיר, ודודה רבקה בגלל שהיתה לה נטייה לריב עם כל העולם, כולל עם בעלה המנוח ועם שתי בנותיה סימה ונעימה, ורק עם אמא היא הצליחה להסתדר.

ובקיצור כשאמא הגיעה לפני איזה מאה שנה לבשר לדודה רבקה שהיא הולכת להתחתן עם בחיר לבה, אבא, באיזה אולם מעופש ביפו, אז דודה רבקה ליטפה את שערה ואמרה שהיא מפרגנת לה חתונה על חשבונה באולמי בית המהנדס (!) המפוארים (!!) בדיזנגוף (!!!), עניין של משהו כמו מאה וחמישים אלף שקל טבין ותקילין, כמו שכותבים בספרים, ואמא קפצה עד הגג מרוב אושר על מחוות האהבה והנדיבות, ואבא ואמא שהיו אז כידוע לך תפרנים לאללה הלכו על זה בגדול, עם תזמורת ומלצרים וכל הג'אז הזה, והם היו כל כך מאושרים מהמחווה הנהדרת הזאת והם רקדו ושתו ואכלו ביום כלולותיהם בלי שום דאגה.

בזמן החתונה הם לא שמו לב, אבל דודה רבקה עזבה בכעס, בלי להגיד כלום ובלי להיפרד לשלום, והקטע העוד יותר מוזר הוא שאחר כך היא פשוט נעלמה לאמא, לא ענתה לה לטלפונים, לא הסכימה להיפגש, וכשהנושים מבית המהנדס ומלהקת החתונות הידפקו על דלתם היא כמובן לא העבירה אפילו אגורה שחוקה אחת.

אמא התחילה לבכות כשסיפרה לי על זה, כי זה לא רק הכסף, שהכניס את שניהם לחובות שלקח להם חמש שנים לצאת מהם (כמו שאתה יודע, אבא היה אז סטודנט לרפואה והיה צריך לתת

שיעורי עזר במתמטיקה במקום זמן איכות לאמא), אלא ההתאכזרות הזאת, הקפריזיות, ההבטחה ושִׁברה, והעלבון, כמובן, ומאז היה נתק משפחתי מוחלט – חוץ מהבנות המקסימות שלה, סימה ונעימה, שבאו לבר־מצווה שלי ולשאר השמחות המשפחתיות וכל הזמן היו נורא מתוקות וחמודות – ומדי פעם, סמוך ליום הנישואים של ההורים שלי, שוב היו עולות השאלות והספקולציות – למה? למה לכל הרוחות דודה רבקה עשתה את הקטע המסריח הזה? למה היא ביטלה את המתנה ואפילו לא הסבירה או התנצלה?

ואז, כשהיתה על ערש דווי, היא ביקשה שאמא שלי תבקר אותה, ושם, על מיטת חולִייה (היו שם, אם אני לא טועה, גם שתי שכנוֹת רכלניות שאהבו לשרוץ אצל המנוחה בדירה), רבקה אמרה בקול שבור שהיא מתחרטת על כל מה שהיה, היא רוצה ליישר את ההדורים ולפצות את ההורים שלי על הכאב והסבל שהיא גרמה להם, בקטע שהיא הולכת לתת להם את הכסף שהבטיחה, ודף חדש, נקי ולבן הולך להיפתח בקורות החיים של המשפחה הדפוקה שלנו, ואז הם הגיעו בציפייה כל כך גדולה להקראת הצוואה, ומה שקרה אחר כך, זה אתה כבר יודע...

נדב

[כעבור יומיים]

שלום שלום נדב החמוד, איזה שיר יפה שלחת לי! לקחת אותי
מהירח לאוקיינוס ולפסי הרכבת, והכל בכמה, בסך הכל בשמונה
שורות! רעיונות ומראות שהיה לוקח לי לפחות שני עמודים רק
להתחיל לנסח ואצלך הכל מתומצת בקפסולה של מילים ורגשות,
איזה יופי! והרמיזה הנחבאת אל שיר הילדים הקלאסי, ואחרי זה
המעבר החד אל הניכור של היקום, והכוכב האילם, ומוות בסגנון
אנה קרנינה, והחרוזים הבלתי צפויים, באמת כל הכבוד!

שלח לי בבקשה עוד שירים שלך, קצרים או ארוכים, מחורזים או
מצולקים, לא אכפת לי, ואל תתבייש בהם ולו לרגע אחד – שירי
דיכאון, שירי אהבה, שירי הערצה לטבע ולנוף, שירי הייקו,
חמשירים, שירה מודרנית, פוסט-מודרנית – אני אוהב את כולם,
ואני רק מצטער ביני לבין עצמי שאין לי כישרון כתיבה כמו שלך.

אגב אני בדרך חזרה מאוסטרליה הביתה – הגעגועים אוכלים
אותי בכל פה ואני כמה לרגע שבו אוכל לרחרח את בטנו הפרוותית
והלבנה של סימבה!

מה שלומך? לאן שובצת? ואגב, תודה על העדכון על הסקנדל
המשפחתי, האמת היא שלא היה לי מושג.

כתוב לי!

בהערצה אין קץ,
מיכאל

[כעבור שבועיים]

מיכאל שלי,

אני כותב מפני שאנשים שאני אוהב לא נמצאים איתי. אני כותב מפני שבהיותי תיכוניסט היה בי הרבה כוח לאהוב ועכשיו כוחי לאהוב הולך למות. אינני רוצה למות. רק להשתחרר על 21.

נֶפֶשׁ מְיַחֶלֶת
אֶל מוֹתוֹ שֶׁל יוֹם

יָד נִרְפֵּית, צוֹנַחַת,
לֹא תִּגַּע בְּמְאֹם

כִּבְדוּת חָזֶה אֲשֶׁר
עָיַף, עָיַף מִפְּעֹם

נִיצוֹץ פִּיּוּס קָטָן
נִתְגַּלָּה פִּתְאוֹם

אַךְ בְּכוֹחוֹ כִּי דַּל
צָנַח, צָנַח לִתְהוֹם

נדב

ד"צ 02125

[למחרת]

שלום שלום נדב היקר, קיבלתי את האימייל שלך כרגע במקום מושבי החדש אי־שם בחו"ל, מעבר לים, ואני מיד מתיישב לכתוב לך בעט ונייר כמו שהיו כותבים פעם ולשלוח לך במעטפה עם בול למספר הדואר הצבאי שרשמת, ומזל טוב שיש לך סוף סוף כתובת קבע, אם כי לא נעלמה מעיני נימת הדכדוך הקלה מצדך – ספר לי בבקשה לאן הועברת!

מכל מקום, בפעם האחרונה שהתכתבנו הייתי בסידני שבאוסטרליה, אבל מאז הספקתי לחזור לסימבה אהובי, לפתח תקוה.

ישבתי בבית כמה ימים אבל מיד חזרתי לסורי, כי שוב תקפה אותי קדחת הנדודים. לא ידעתי לאן לנסוע והחלטתי להתיר לגורל לתת לי כיוון על ידי פתיחה מקרית של העיתון היומי המסמורטט שהיה מונח על שולחני. קבעתי לעצמי כלל כי המדינה או העיר הזרה הראשונה שאתקל בשמה באותו גיליון תהיה יעדי לטיסה הקרובה, ופתחתי באופן מקרי, בעיניים עצומות, את עמוד מספר שתים־עשרה שהיה, מעשה שטן, עמוד מודעות האבל ובצדו סטריפ של פרסומות לעסקים קטנים, ואני חיפשתי כמוכה שיגעון את הרמז הנחבא שם ליעד הנסיעה הבאה שלי, עד שמצאתי אותו מסתתר ביישן וחייכן בתוך מודעת שחור לבן מדכאת לבית עסק לחלקי חילוף לאסלות **וניאגרות** אי־שם בדרום תל אביב, ומכאן הזמנתי מיד כרטיס טיסה לטורונטו שבקנדה, וממש הבוקר כבר הייתי שם, במפלים השוצפים והקוצפים שראיתי היום לראשונה בחיי, בספינה בשם "מיידלע אוף דה מיסט" ובמעיל גשם צהוב, ומה אומר ומה אספר – המראה מדהים אף יותר מבית האופרה של סידני!

כבר כשקניתי את הכרטיס לחוויה הרטובה, שיט סוער מתחת למפל, כשהזרם האימתני של אשדות המים מאיים בכל רגע לסחוף

אותך ואת בני לווייתך עמוק אל המצולות, כבר אז צדה עיני אישה טובת מראה, צעירה ממני בעשר שנים על פי מראה המטופח, שיער שחור בורק, עיניים ירוקות, שפתיים דקות וארוכות, וממה שיכולתי לשער ממתווה חולצתה, בעלת פרונט נעים ונדיב עד מאוד, ולשמחתי הרבה ללא כל בן לוויה, לא גבר ולא אישה, לא ילד, לא כלב תפנוקים, שום כלום, רק היא, לבדה, אבודה מעט בתור להמולת הסירה הנישאת על פני תהומות המים.

לא העזתי לפתוח איתה בדברים אלא היא זו שביקשה את עזרתי ברכיסת חליפת ההצלה. קוראים לה ג׳ולייט, למתוקה, ואני, במקום להרים את הכפפה ולפתוח בשיחת חולין, או לפחות לתהות בת איזה מזל אסטרולוגי היא, פשוט נכנעתי לאלם של ביישנות שתוקף אותי מאז הגירושים בכל פעם שאני במחיצתה של אישה, וסתמתי את הפה! לכל הרוחות!

ג׳ולייט מצדה ניסתה איזה דבר פטפוט, אבל אני לא עניתי לה ולו במילה אחת, רק המהמתי המהום זעפני כזה שלא במתכוון, ועיניה הירוקות נישאו ממני והלאה, אל המראה המוזר והמפעים, המקלחת התמידית השוצפת לעד של מפלי הניאגרה, הניגרים במים רבים מאותה ימה הנקראת ימת אירי ועד לימת אונטריו, וכשהיינו שם, תחת קלחת המים המפעימה הזאת, כמה הצטערתי שלא יכולתי לחבק לרגע את הגברת הבודדה ולהגניב נשיקה על לחייה!

כשירד הערב החלטתי לצאת לציד לילי בטורונטו לחפש אחר נשים יפות ולעזאזל עם רגשי הנחיתות המוזרים שנחתו עליי לקראת החלפת הקידומת הממשמשת ובאה, ונכנסתי למונית שעמדה בפתח בית המלון. הלילה היה קר, קפוא (מתברר שהטמפרטורות עלולות לצנוח עשרות מעלות מתחת לאפס בעיר הזאת!) והנהג שאל לאן, ואני חשבתי על מקום מסתורן של הנשים היפהפיות, הסוערות,

המסופרות תספורת קארה שחורה, או בעלות שיער בלונדיני ארוך עד מותניהן, נשים לבנות עור ונשים כהות עור, היכן אמצא אותן לעזאזל והרי אפילו חיפוש בסיסי באינטרנט לא ערכתי? ואמרתי לו בלי מחשבה, קח אותי אל אזור הבילויים של טורונטו בבקשה, והנהג נתן בי עין מכוונת ואמר, I see what you mean, והוריד אותי ברחוב סואן, שוקק חיים, בשם המוסרני Church Street, ובו מסעדות ודיסקוטקים וצעירים רבים, ואני מיהרתי להצטרף לתור ארוך במיוחד בפתחו של איזה בית שעשועים ונעמדתי כאחד האדם אחרי חבורה של חירשים-אילמים שלכסנו אלי מבטים סקרניים.

כשהתור התקדם לאטו נכנסתי פנימה, אל אותו מועדון זמר ואלכוהול, ורק אז הבחנתי למבוכתי הרבה כי באותו דיסקוטק פופולרי, בין עשרות ומאות האנשים שגדשו את המקום, **לא היתה ולו אישה אחת לרפואה**, כלומר, למעט זמרת יפהפייה, גבוהת עקבים, בעלת לסתות קשויות, ששרה שירים נפלאים על הבמה המנצנצת בהנעת שפתיים בשרניות, אדומות וחושניות עד מאוד!

הכל היה מצחיק ומסתורי, השירים הקולניים והקופצניים, האווירה המשוחררת שניכרים היו בה ניצני תשוקה בלתי מסותרת, ומעל כל אלה מעין אחווה גברית עמוקה ונעימה של חברים-לנשק או של ציידים-לעת-לילה.

הלכתי לקנות לי כוס בירה מן החבית, הגנבתי חיוכים קטנים אל חבורת החירשים-אילמים שעדיין היו מקובצים כדבוקה אחת, וכשקיבלתי את המשקה נקש מישהו על כתפי בדרך נמהרת ואני אמרתי, כן בבקשה? והגבר שמאחורי, בחור אתלטי כבן ארבעים, בעל בלורית בלונדינית כשל הגויים, המהם בקול מעט שתוי, הו, סליחה, מצטער, התבלבלתי עם מישהו אחר, ואני אמרתי, אין בעיה, זה בסדר, והוא חייך והביט בי ישר בעיניים, במבט כה עמוק וכה חודר עד כי ידעתי בו ברגע שהוא חושק בי, וההרגשה הכפולה

הזאת, של להיות הנושא אבל גם המושא; הגבר, אבל גם אובייקט מיני של גבר אחר, ההרגשה הזאת היתה המוזרה ביותר שהרגשתי כל חיי, מחמיאה ומפחידה, משמחת ומצמררת, וחשבתי לעצמי, לעזאזל השמיני, מה כבר יכול לקרות?!

אמרתי לו, אתה חמוד, והוא אמר בחיוך מתוק, גם אתה, אני מת על דובים, ואני אמרתי, מת על מה? והוא אמר, אני קֶווין, אתה? ועניתי את שמי ורציתי להפסיק את המשחק המוזר, להגיד לו שאני כלל לא פייגלע, אני כאן במקרה, רק בגלל טעות של נהג מונית שלא הבין נכון את דברי, או אולי לא התנסחתי כיאות, ככה זה כשמדברים שפה זרה במבטא כבד! אבל העיניים של קווין הפיקו טוב לב, והבלורית הבלונדינית שלו התנפנפה בעליזות, עד שלא יכולתי לסרב לידו המושטת והצטרפתי אליו אל רחבת הריקודים בנענועים מהירים של התוחעס ימינה ושמאלה, בחיבוק של יד אל יד, ובסוף, אחרי עוד שתיים־שלוש בירות וקצת שוטים של וודקה, כשהזמרת היפהפייה ירדה מן הבמה והגיע הזמן להיפרד, בלי שאדע מדוע ובשיא הטבעיות, הצמדתי את שפתי אל שפתיו ונישקתי אותו, את קווין החמוד, שנקש על כתפי בטעות, נישקתי אותו על שפתיו, נדב, נישקתי ונשארתי בחיים!

כעת ארבע לפנות בוקר, אני (לבד) בחדרי בבית מלון על שפת אגם אונטריו, יושב בצד המכתבה עשוית העץ וכותב לך. תאמר לי, בבקשה, ידידי נדב, האם אני מאבד את שפיותי, האם אני חוצה קו אדום ואסור, האם אני מבייש בזקנתי את בחרותי, האם הגיע הזמן שאוציא צו עיכוב יציאה מן הארץ נגד עצמי?

באהבה מכל הלב,
מיכאל

מספיק רוסים ואתיופים שלא ממצמצים מול גורילות כאלה, הענתר הזה קלט אותי לחרדתי הרבה ואמר, אתה, יא מתרומם, בוא הנה, אתה מעכשיו השומר האישי שלי כל הלילה, בוא לכאן יא אפס, יא אידיוט, יא אוכל בתחת, וכולם הפנו את הראש ואני לא ידעתי מה לעשות, כאילו, אם אני לא מציית לו הוא יכניס לי מכות, ואם אני כן מציית לו הוא רק יתעלל בי עוד יותר, והחלטתי לפתוח איתו במשא ומתן, עד כמה שאפשר בתנאים המפוקפקים האלה, ואמרתי, אוקיי, אני אשמור, אין בעיה, אבל חצי שעה וזהו, רק לוודא שאתה נרדם, והוא אמר, תבוא עכשיו ותשמור כל הלילה דביל, או שאתה מקבל ראש טורקי שיפוצץ אותך במכות, ואיזו ברירה היתה לי, הלכתי לעמוד ליד המיטה שלו כמו איזה זקיף אצל מלכת אנגליה, ובין האגרופים הסגורים שלו ראיתי אותו, את הראש הטורקי המהולל, מין כדור מתכת שחור עם חוט שחור קשור אליו, מכה אחת בגולגולת ואתה שפוך לכל שארית החיים המסריחים שלך, וכשדימה נרדם סוף סוף לחשתי לו עמוק לתוך האוזן, לילה טוב, ערס קטן, חלומות מהגיהינום שיהיו לך, והלכתי למיטה שלי להתכסות בשמיכת הסקביאס עם ניחוח השפיך.

■ ■ ■

[למחרת]

היום על הבוקר, עוד לפני הספירה של השעה שש, הגיעה לולו היפהפייה והמלאכית עם כמה מ"ם-צדי"קים ופקדה על כולם לפתוח את הקיטבגים ולפזר את התכולה שלהם על המיטה לביקורת פתע, והענתר הרוסי ניסה להעמיד פנים של הכל כרגיל

אבל יכולת לראות במבטים התועים שלו שהוא מריץ בראש שלו כל מיני תוכניות חירום, ותוך כמה דקות הם עלו על כל מה שהוא החביא בבונקר שלו בין הקפיצים של המיטה, הראש הטורקי המדוגם שיכול לפצפץ גולגולת בתוך שניות, וגם אגרופן ברזל עשוי מחצי שיבר ואפילו כמה דוקרנים, אין לי מושג מאיפה הוא הביא את כל הדברים האלה, הבחור היה מצויד למלחמה רב־מערכתית משולבת וכמובן שהחרימו לו את הכל ואמרו לו שהוא עולה למשפט ושכנראה יבלה חלק מהעונש בצינוק, וכשהם יצאו מהמאהל והשאירו את כולנו לבד התחילה המהומה האמיתית.

אתה לא מבין מה הלך פה. הענתר התחיל לצרוח שיש צלם באוהל, כלומר שטינקר, מלשן, שרוף, תקרא לזה איך שתקרא, ואיך שהוא התחיל להשתולל התפללתי עמוק בלב שהלוואי שלא יאשים אותי, הרי זה לא אני, לא עשיתי כלום, אפילו שבטח היה לי אינטרס ואולי גם יש לי פרצוף של מלשן, והעליתי בעיני רוחי את ישו, בודהה וכל מלאכי השרת והתחננתי לפניהם שיעזרו לי, שיצילו אותי, שיושיעוני, כי בחיאת אללה, אני לא אוכל לעמוד בזה, אני לא אשרוד את הכלא הזה, וכל המחשבות הרעות האלה כאילו דווקא עוררו את המזל הרע והענתר התקרב אלי בצעדים גדולים ואמר, זה אתה, מה, אתה הלכת לצלם עלי למד״כים, הא?

ואז הפתעתי את עצמי ואמרתי לו בלי לחשוב ובלי להיבהל לרגע, דימה, תסתכל לי בעיניים, לא צילמתי אף אחד, הרי הייתי איתך באוהל והחזקתי לך את היד כל הלילה, לא? ודימה התבלבל לרגע ואחרי זה נהם כמה נהימות פרא ובסוף נרגע, ורק הוציא איזה נעץ קטן – היחיד ששרד את השבת השחורה – ואמר, בפעם הבאה שאתה מצייץ אני עושה לך כוסה על הפרצוף, הבינות? ואז

כולם צחקו באוהל, וגם אני, ודימה נתן לי צ'פחה בריאה כזאת
שכמעט עפתי לצד השני של הר האושר.

נדב

נ"ב

אין לי שום גישה לאינטרנט כמובן, אז אני שולח לך את כל מקבץ
המכתבים האלה שכתבתי בעט ונייר לכתובת הרגילה בפתח תקוה.
מי יודע מתי בכלל תקרא אותם, מי יודע איפה אתה נמצא בכלל,
מי יודע מי שומע את קול הזעקה האילם שלי ביקום השרירותי
והאכזר הזה.

[כעבור שלושה ימים]

שלום שלום! קיבלתי את המכתבים שלך וודאי שקראתי אותם וודאי ששמעתי את קול שוועתך וקול זעקתך האילמת, משום שבדיוק חזרתי לארץ ואני יושב עכשיו בבית קפה נחמד בשדרות רוטשילד בתל אביב, עם כריך ענקי של נקניק ומיונז וחסה טרייה וכל טוב הארץ, ועונה לך!

אחרי שהקפתי את הגלובוס מימין ומשמאל אני יכול להישבע לך שאווירה ידידותית כמו בתל אביב, וקפה משובח כמו כאן, וזיתים ביתיים חריפים ועסיסיים כמו פה, לא מצאתי עדיין בשום מקום בעולם! והבחורות יפהפיות! וכולם חברים של כולם, או לפחות היו איתך בצבא, או תבעו אותך למשפט, או יצאו עם אחותך! והשמש מלאה, מאירה, עגולה! שלא לדבר על קרואסון השוקולד וכותרות העיתונים המשוגעות, שחיתות הפוליטיקאים, הפרזיטיות של האברכים, שיכרון החושים של הפושעים, קשה להאמין שזאת מדינה אמיתית ולא המצאה הזויה של מחזאי כושל מהמאה התשע־עשרה!

נדבי׳לה, קראתי בעניין רב את המכתבים ששלחת לי מהכלא, ולא יכולתי שלא להתענג על גלריית הדמויות שתיארת בחן ובשובבות. אותו אבו־ענתר (מה זה?) בשם דימה, והגברת המד"כית (מה זה?!) לולו, והמילואימניק העייף היוצא ידי חובתו, כולם היו בעיני חיים וממשיים מאוד, ובאמת, נדבי, איפה לכל הרוחות היית מכיר את הטיפוסים האלה לולא התפלקה לך סנוקרת לחוטם של שלומי ולולא נכנסת לכלא לעשרים ושמונה יום ולולא הגעת לפלוגה א׳ בכלא שש? אתה חייב לכתוב על זה, נדב, לא רק מכתבים לדוד הזקן והקוקו שלך, אלא יותר מזה, אולי שיר (בלדה! שיר אהבהבים בנוסח שירת ספרד! חמשירי

זימה! שירת מחאה!) או סיפור קצר, או מחזה, זה פשוט מעורר
השראה!

ועוד עצה לי אליך, נדבי, לזמן שנותר לך לריצוי עונשך, והיא
לסמוך על מזלך הטוב, ובאמת, אם תסתכל אחורה על מסכת
החיים שלך עד כה תראה עד כמה אתה אהוב ורצוי בעיני היקום,
כמה חום ואהבה קיבלת לאורך חייך, איך דאגו לך משמים
שתיוולד להורים הנכונים, לאמא שמעריצה את האדמה שעליה
אתה הולך, לאבא בעל מקצוע מכובד ומבוסס כלכלית משכונת בית
הכרם בירושלים, איך נתנו לך את היכולת הטבעית להתחבב על
הבריות בלי שום מאמץ מיוחד, איך חננו אותך בשכל וביופי, והם
שם, למעלה, ממשיכים להרעיף עליך את כל החסד הזה גם אם
נדמה לך שלא כך הוא, הם נוסכים בך את כל המזל הטוב שתזדקק
לו, עינם לא עצומה לרגע, הם מביטים בך בכל עת ועת ושומרים
עליך מכל משמר!

אני יודע שיש לך הרגשה שמישהו מתעלל בך, שיש לך מזל
נאחס כמו שכתבת לי פעם באחד המכתבים שלך, שיש לך נטייה
להסתבך ולהידרדר מדחי אל דחי, עד שפל המדרגה, אבל זאת
לעניות דעתי טעות ממדרגה ראשונה! כל המקרים המוזרים
והמצחיקים שעברת עד עכשיו הם בסך הכל הכנה לדבר האמיתי,
הם התחקיר ליצירה ההולכת ונרקמת משנייה לשנייה ומדקה לדקה
– היצירה העשירה והמרתקת של חייך הנשגבים והחד-פעמיים, על
כל המורדות והפסגות שלהם, רגעי הצחוק ורגעי הבכי, הייאוש
והתקווה, ובתוך הבצק החמים והמהביל והבחוש הזה של ימיך
הצעירים אפשר למצוא מדי פעם בפעם צימוק מתוק ומענג: פני
המלאך של לולו! ההקרבה העצמית של חברתך טלי! אהבתך
הגואה לאמא שלך!

אילו רק יכולת לחיות את חייך כמי שמשקיף עליהם מן הצד,

כאילו היו רומן בכתובים, או סרט קולנוע, אולי אז היית רואה לא
רק את הצער והעצב אלא גם את הפליאה שבקיום ואת היופי
בחיים.

אתה בוודאי תוהה בינך לבין עצמך מדוע חזרתי אל פתח תקוה
במקום להמשיך לעשות חיים בברזיל, וזאת אחרי שהבטחתי לעצמי
למצות עד תום כל יבשת רחוקה שאני מגיע אליה. ובכן, העניין
הוא שבאחד הלילות החמימים והעליזים בריו דה ז'נרו הוא פשוט
הגיע אלי, בחלום, היצור הג'ינג'י הפראי אך המבוית שאיתו אני
חולק את חיי, וקמתי עם חיוך שפוך על פני ועם ידיעה ברורה שאני
חייב לחזור אליו, אל סימבה, כי אין אהבה גדולה ובוערת ביקום
הזה יותר מאהבת אדם אל חתול הבית שלו. בלי כל נקיפות מצפון
נסעתי מזרחה, אל המקום שלבי נמצא בו, אל ארץ ישראל, אל אם
המושבות, אל פתח תקוה, והפעם החתול הסתער עלי בנשיכות
פראיות של געגועים טרופים, ומדי לילה אנו מתכרבלים במיטתי
הרחבה, הוא משיר את שערותיו בכל פינה ולעתים מותיר תלולית
של קיא טרי ולח על הרצפה, ואני ישן בתחתוני הבלויים בלבד,
אלה שהתחילו את כל המסע המוזר הזה.

■ ■ ■

[כעבור כמה שעות]

אני עדיין מופתע מכל שרשרת האירועים המופלאה והמוזרה
שקרתה לי ברגע שבו הנחתי את עטי וסיימתי את חלקו הקודם של
המכתב הזה! עוד לא הספקתי לקום מהכיסא בבית הקפה הנחמד
בשדרות רוטשילד, ופתאום שמעתי קול צחוק טהור, פעמוני,

מתגלגל, כן, צחוק זהה לזה של הילד המתולתל על הגדר, אותו צחוק של פוק שראיתי בחלומות באספמיה שלי בברזיל, אלא שהפעם הוא בקע מגרונה של אישה שמנמנה ושחורת שיער, שישבה ממש לידי, שתתה את הקפה ההפוך שלה, הצביעה עלי והתפקעה מצחוק!

מובן שלא אמרתי לה מילה מרוב עלבון ובויישנות, אבל היא קרקשה בשרשראות החרוזים הארוכות שלה ואמרה במבטא דרום־אמריקאי מורגש, היי, אדוני, היי, בחור צעיר, אני אוולין, נעים מאוד, מה קרה לך? אני לא נושכת! ובשיא הטבעיות הזמינה אותי לעבור אל שולחנה, ואני, עדיין מסויג ומבויש, שאלתי אותה על מה היא צוחקת צחוק רם ובוטה כל כך, אולי שוב גרבתי גרביים לא תואמים, או הכתמתי את החולצה בחלמון של ביצה, ואוולין אמרה, הפרצוף הזה שעשית כשכתבת עכשיו, כמו של חתול מתכרבל בפינוק במיטה!

ואני התפלאתי על האינטואיציה החריפה של הגברת שקראה אותי כספר פתוח, והצגתי את עצמי בשמי, ואוולין צחקה שוב את צחוקה המתגלגל וחושף השיניים, וסיפרה מבלי ששאלתי שהיא בדיוק חזרה ממסע ארוך מאוד בחו״ל, לא, אין לה משפחה, לא בעל ולא ילדים, מעולם לא התחתנה, לא רצתה להתמסד או לבזבז את זמנה במקום אחד, היא עובדת כמה חודשים בשנה בעיצוב בגדי ילדים או באיזו עבודה אחרת, קלה ונחמדה, ובשאר הזמן מטיילת בעולם, בלי תכנון, בלי מטרה, סתם כך נודדת ממקום למקום, כך כבר שלושים וחמש שנה, בדיוק עכשיו היתה בטרק בהודו, ובפעם הבאה תיסע לאן שתישא אותה הרוח, היא עצמה עדיין לא יודעת. נדהמתי מצירוף המקרים ואמרתי לה בחצי פה שהתחלתי בעצמי במין מסע כזה והיא אמרה, אבל בוודאי, ידעתי מיד שאתה נווד, אתה נולדת לחיים האלה, ובטח כבר חצית אוקיינוסים ויבשות.

עניתי נכלם שלא, עד גיל שישים פקדתי מדי בוקר את משרדי הצנוע בפרקליטות מחוז מרכז.

אוולין הרצינה כמי ששמעה בשורה מדאיגה ופקדה: תאריך לידה, מיד, כולל מקום ושעה מדויקת, וכשנתתי לה את הפרטים מלמלה, מזל עקרב, כן, אופק עולה מאזניים, זה ברור, דיסהרמוניה עם נפטון, השפעה חזקה של שבתאי, והחלה משרבטת כל מיני מעגלים וזוויות וחישבה חישובים ונשכה את שפתיה ואז אמרה, אבל אדוני, מר מיכאל, לפי המפה האסטרולוגית שלך היית אמור לחיות חיי תימהוני, סטלן, להיות מין היפי כזה שמורד במוסכמות ולועג לכל העולם, היית אמור לעסוק במיסטיקה, לקרוא קריאה על־חושית, לרפא בהילינג, להמריא על כנפי הדמיון, ומה אתה אומר שעשית עד היום, על מה בדיוק בזבזת את כל הזמן היקר של חייך?

עניתי נכלם שהייתי עורך דין, לא סתם עורך דין, תיקנתי את עצמי בשארית גאווה, הייתי עורך דין בכיר בפרקליטות מחוז מרכז, אך ככל שהארכתי בתאֳרֵי המכובדים כך הלכה קומתי והשתופפה וקולי הלך ונסדק. על מה באמת בזבזתי את כל החיים היקרים שניתנו לי ועוד מעט כבר כמעט ואינם?

תראה לי את כף היד, היא ירתה, ואני הבטתי משתומם בחריצים הבקועים בכף ידי, שכמו האתון של בלעם פצחו את פיהם וסיפרו לאוולין את סיפור חיי. שני בנים שנמצאים במרחקים, לא מדברים איתך, כועסים, מוסתים, אוי אוי אוי, ואישה רעה, שלילית, טוב שעזבת אותה, כולה ממורמרת וכועסת על החיים, לא התאמתם אחד לשני, ומקצוע אפור, רוטיני, איך נתת לחיים לקלקל אותך ככה, לשבש אותך ככה, לגרום לך ללכת בתלם כמו אחרון הפקידים, איך הסכמת לשעבד את הנשמה שלך למשהו מדכא כל כך? אבל כאן, באופק, אורו עיניה, מסע שרק התחלת בו לאחרונה,

לא רק פיזי אלא גם נפשי! מסע של הנשמה, מסע ספיריטואלי, ואתה כל הזמן נבהל ומוותר לעצמך ושוב חוזר ושוב מתלבט, ותולה את כל האשמה בכלב? לא, בחתול! אבל למה? אתה חייב להמשיך עם מה שהתחלת, מהר, לפני שמחלת הרַצֶּנֶת תחסל כל חלקה טובה בחיים שלך!

נדב, בבקשה אל תגער בי יותר מדי ואל תדליף כלום לקרובי המשפחה המשותפים והסכסכנים שלנו, אבל קבעתי להיפגש אצלה במוצאי שבת, בבית שלה בגבעתיים, **לסיאנס**, ומי יודע, אולי גם לקצת יותר מזה. אני שולח לך את המכתב עכשיו, אולי הוא האחרון שתקבל ממני לפני שהשדים ידבקו בי!

שלך, בדחילו ורחימו,
מיכאל

[כעבור שלושה ימים]

מייקיק סייקיק היקר מאוד,

קודם כל ממש תודה על העצה הנהדרת שלך להפוך את הכאב ואת החרא למשהו אמנותי – זאת פשוט הברקה! – ובזכותה התחלתי לעבוד על פרויקט סודי, גאוני, מלהיב ומקורי והוא **יצירת המופת החדשה שלי**, לא עוד שירי הייקו או חמשירים מטופשים, לא עוד הרהורים נוגים על טיבו של האדם או הגיגים מלנכוליים על הטוב ועל הרע בעולמנו האכזר, אלא, לראשונה בישראל, תסכית שעתיד להיות משודר בקרוב מאוד ברדיו הטרנזיסטור הקטן באוהל שלנו בהשתתפות שחקנים ידועי שם, תחת שרביט הבימוי של עבדך הנאמן, וצפוי להיות הצלחה אמנותית ומסחרית מסחררת – "מלחמת העולמות בכלא שש".

מדי שעה בשעה אני מתאמן בקרן זווית, על אחת המיטות הנחבאות באוהל, על הדיקציה הנכונה של חילופי הדברים בין הדמויות, על האפקטים הקוליים שעתידים ללוות את התסכית ההיסטורי ובעיקר על פיתולי העלילה שלא ישאירו אוזן אחת יבשה!

הגיבורה הבלתי מעורערת של התסכית היא מרת סטאלג, הגברת לולו, סוהרת סאדו־מזוכיסטית שגוררת את קורבנותיה הגברים חסרי הישע אל מרתפי העינויים של הכלא, מקום שבו היא מחביאה שני חייזרים דו־מיניים ששרדו את מתקפת אליהו הנביא על נביאי הבעל והתחבאו במשך שלושת אלפים שנה במערות האדם הקדמון בעומק הר הכרמל, עד שנפלו ברשתה של לולו הנימפומנית המקיימת איתם יחסי מין שלא כדרך הטבע!!!

מול עוצמתה הנשית של לולו מתייצב לבדו וללא חת דִּימְיָהוּ, נביא זעם בעל מבטא רוסי כבד ונטייה להזכיר את אמו הזונה בכל

משפט שני, שקורא לעשרות הקורבנות האומללים של לולו למרוד בה ולברוח מהכלא, וזאת בעזרת סדרה של נסים מופלאים שהוא מחולל באמצעות הדוקרנים שהוא מחביא מתחת ליצועו.

דו־קרב היסטורי מתחולל בין הסוהרת המרושעת לבין לוחם החופש חדור האמונה, וכל האירועים המסעירים והדרמתיים האלה מתרחשים על רקע התפוררות מלכותו של "המלך המאושר", איש עגמומי אך כריזמטי, שלא מצליח להחליט למי יעניק את תמיכתו, לעוצמתה הנשית של לולו או להתקוממותו העממית של דימייהו.

כתבתי את העלילה בראשי פרקים במחברת שלי, כשאירועים מהווי חיי הכלא (דימה מוריד כאפה על שמואל, האתיופי ששבר שמירה, או: לולו מאיימת בצרחות שהיא תעביר אותנו לתאים האפלים של פלוגה ג') משמשים לי השראה נהדרת, בדיוק כמו שיעצת! אפילו השעות המתות בדרך כלל במגדלי השמירה, מול הצלע הקודרת של הר האושר, עברו־חלפו במהירות מכיוון שכל הזמן הרצתי בראש את העלילה של התסכית, ודמיינתי את אלפי המאזינים מרותקים אל גלי האתר ועוברים יחד איתי את הפסגות והתהומות של מלחמת בני אור בבני חושך, וכמובן שכבר מן הרגע הראשון ידעתי את מי אני רוצה ללהק לתפקיד הראשי אבל לא היה לי האומץ לעשות את זה, בכלל לא היה לי נעים לגלות למישהו שיש לי יצירה בכתובים, שיש לי את החוצפה ואת התעוזה להפוך את הכלא הזה ליצירה דמיונית, ורק הבוקר, מיד אחרי הספירה של שש, כשחזרנו אל האוהלים להתכונן לקראת ארוחת הבוקר וקצת לטאטא ולסדר את המיטות, אזרתי אומץ וניגשתי אל דימה, שבדיוק פלה פשפשים מהמזרון הירוק שלו, ואמרתי בחצי קול ובלי נשימה, דימה, והוא זקף אוזניים והמהם אלי במבטא רוסי, מה?! ואני אמרתי, אולי תסכים להשתתף ביצירה ווקלית אמנותית מקורית ומדהימה בעוצמתה? וגוללתי באוזניו את

העלילה, ולשמחתי ולהפתעתי דימה אמר שכן, בחיי האמא הזונה שלו, כן, הוא מוכן, הוא מתלהב מאוד, והרים באוויר כוס וודקה דמיונית, אבל רק בתנאי שיימצאו תפקידים ראויים גם לשאר החברים במאפיה הרוסית שלו, וכבר היום בצהריים, אחרי הארוחה, במקום לגרבץ או לאונן או לקטר, התחלתי עם החברים באוהל את החזרות על שלושה פרקי סקיצה שהספקתי לכתוב בלילות האחרונים בסתר, אחרי כיבוי אורות, עם דימה בתפקיד דימייהו, שני אתיופים (אלי ומשה, הראשון יושב על התחצפות למפקד, השני על גנבת מטף כיבוי אש) בתפקיד החייזרים הנאנסים, ואני, באנפוף קל של הקול, ובחיקוי עד כמה שאפשר של המד״כית האלוהית שלנו, בתפקיד לולו הנימפומנית והשרמנטית, שלמרות איומיה האכזריים לרטש את גופתו של דימייהו כשיפסיד בדו־קרב הגדול ביניהם, אי אפשר שלא להבחין בנימה הבלתי מסותרת של משיכה חייתית עזה שהיא חשה אל הערס הרוסי, ורצונה העמוק שהוא ישגל אותה מקדימה ומאחורה ובכל תנוחה אפשרית, ואם אפשר באורגיה יחד עם החייזרים הדו־מיניים!

לתפקיד האפקטים המיוחדים גייסתי את אלכס, טיפוס נמוך וקטן שדפק ראסייה לשני מנאייקים ובגלל זה נכנס לכלא ל־14 יום, ויודע לחקות קולות של בעלי חיים, רוח נושבת, תריס נפתח, והכל בעזרת פליקות של האצבעות אל תוך הפה וכמה עיצורים גרוניים שרק הוא יודע לעשות, ולתפקיד המספר (הייתי לוקח את זה על עצמי, אבל אני לא רוצה לקרוס תחת עומס האחריות והתפקידים) גויס איליה, שעלה לארץ לפני שלוש שנים אבל עם קצת עזרה יצליח לצלוח את כל המילים הקשות!

החזרות התנהלו בהצלחה יתרה, דימה נכנס לתפקיד, וכשצעק לכיוונה של לולו במבטא רוסי כבד:

הוֹ אִשָּׁה
נִפְשַׁעַת! בִּמְקוֹם אֲשֶׁר
לָקְקוּ הַכְּלָבִים אֶת שְׁפִיךְ הַחֲיְזָרִים,
יָלֹקּוּ אֶת דָּמֵךְ גַּם אַתְּ!

קהל הכלואים באוהל שלנו פשוט רעד מפחד, שלא לדבר עלי, בתפקיד הנימפומנית, שכמעט השתנתי במכנסיים כשהוא פתח עלי עיניים איווט־ליברמניות כאלה שבא לך להתחרט שאמא שלך לא הפילה אותך ברחם!

אחרי החזרה, שנחלה הצלחה רבתי וקצרה תשואות סוערות, דימה התחיל לתחקר אותי, בתור התסכיתאי הראשי, איך בדיוק לולו הסטאלגית מזדיינת עם חייזרים, כאילו, אם יש להם זין ממש או שזה נעשה בעזרת איבר אחר, ואם איבר אחר אז האם הוא קשה או רירי, ורוד או ירוק, גדול או קטן, ואני עניתי לו שלא ממש חשבתי על זה עד הסוף אבל אני אחזור אליו עד הערב עם כמה סקיצות, והאמת היא שהוא כל כך נכנס לתפקיד עד שבספירה של אחר הצהריים הוא כמעט התפרץ על לולו האמיתית בקללות שהכלבים עוד ילקקו לה את הכוס, והיינו צריכים לתקוע לו כמה מרפקים בצלעות כדי שהשחקן הראשי לא ייעלם לנו לתוך הצינוק לכמה ימים.

העניינים מתקדמים די מהר וממש לשביעות רצוני, אבל יש לי רק בעיית ליהוק אמנותית אחת והיא שלא מצאתי אף אסיר מתאים לתפקיד המלך המאושר – אותו מלך עגמומי ושקט שהקרב לחיים ולמוות מתנהל בממלכתו.

עשרה אסירים, גם מאוהלים אחרים בפלוגה א׳, היו הבוקר באודישן אבל כשלו בבחינה בזה אחר זה. לא מצאתי את השילוב המורכב בין שקט לעוצמה, בין עגמומיות לכושר מנהיגות, אולי

אצטרך לבקש העברה לפלוגה ב׳ כדי למצוא איזה על״מ טרי שיתאים לדרישות התפקיד.

אני רץ לכתוב את הפרק הבא – אעדכן אותך מחר או מחרתיים איך מתקדמות החזרות ואז אשלח לך את המכתב.

■ ■ ■

[כעבור שלושה ימים]

מיכאל,
כתבת לי במכתב האחרון לסמוך על מזלי הטוב והאמת היא שכשקראתי את העצה הספציפית הזאת הייתי בקטע של, די כבר עם השטויות במיץ עגבניות של חשיבה חיובית וכל הבולשיט של הניו־אייג׳ הזה, כאילו, תרד לי מהווריד, אבל משהו מוזר קרה אתמול, ואני לא מדבר רק על החזרות האינטנסיביות ל״מלחמת העולמות בכלא שש״, אלא על מישהו חדש שנכנס אלינו לאוהל.

זה קורה כל הזמן כי אנשים משתחררים בסוף ה־28 יום שלהם ומיד מגיע בשר טרי, אלא שהפעם זה היה אסיר שנמצא בכלא כבר יותר משנה ועומד לפני שחרור, ולפי הנהלים של כלא שש הוא מועבר בימים האחרונים אלינו, אל פלוגה א׳ היותר קלה, אולי כדי להכין אותו בהדרגה אל החופש שמחכה מעבר לגדרות התיל של הבסיס.

אחד המד״כים מפלוגה ג׳ פשוט הגיע בצהריים והכניס אותו פנימה בלי שום הכנה מוקדמת, ופקד עליו לקחת את המיטה הפנויה שממש במקרה היא המיטה הצמודה לשלי, וכשראיתי אותו פשוט נעתקה נשימתי, כמו שכותבים בספרים, בחיים לא ראיתי מישהו כל כך מרשים, גבוה ורחב כתפיים, עם עור שחום ושיער

שחור, שיש משהו בלתי ניתן לפענוח בנוכחות שלו שפשוט גרם לכל יושבי האוהל להשתתק בתדהמה. הוא הניח את הקיטבג שלו עם השמיכה והכל על המיטה לידי ולא היה צריך לומר כלום, מיד היה ברור לכולם שבזה הרגע הוכתר מנהיג חדש לאוהל שלנו, מנהיג שלידו אפילו דימה עם כל גינוני הדיקטטור שלו נראה כמו עכברה מבוהלת.

כולם היו סקרנים לדעת מי הוא ומה שמו ועל מה הוא יושב וכמה זמן הוא כאן, אבל הבחור פשוט לא אמר מילה ולא ענה על אף שאלה. תנועה קלה של הפנים שלו בהזחה קטנה ימינה היתה הסימן המרומז הקטן שהוא לא מעוניין לדבר, ורק אני, שהייתי קרוב למיטה שלו, יכולתי לראות כמה פרטים קטנים ובלתי גלויים, כמו העיניים שלו, ירוקות־כחולות כמו אגם רחוק ומסתורי, שמתוכן נשקף עצב תהומי עמוק של מישהו שעבר דבר אחד או שניים בחיים שלו, וכמו כפות הרגליים החשופות שלו, שנראו לי מושלמות בגבריות שלהן, רחבות ומוצקות, עם כמה שערות שחורות מתקרזלות בבטחה ובשקט על כל אצבע ואצבע.

רק בספירה בשלוש אחר הצהריים, כשלולו קראה כרגיל את כל השמות, התגלה לנו השם שלו, והוא היה צריך כמו כל הכלואים לרקוע בסוליות ולהפנות את הגב, אבל הדרך שבה הוא עשה את זה, ברוחב הכתפיים שלו, בגובה שלו, במבט הרציני והעמוק, היתה כל כך גברית וכל כך מלאת כבוד, עד שהיא השיגה את המטרה ההפוכה, והציגה אותו כרם ונישא מעל שאר החיילים ומעל הסוהרים ואפילו מעל מפקד הכלא ומעל פסגתו של הכרמל, כאילו הוא מרחף בגובה רב מעל הקיום האנושי וצופה בנו מלמעלה, ובו בזמן גם מלא ענווה ועצב, ועמוק כמו מי תהום, ומהשם שלו, מַהְנָא, התברר לנו שהוא דרוזי, לא ברור מאיזה יישוב בדיוק, אולי מעוספייה, אולי מאיזה כפר ברמה, ודימה, שהתגלה כקנאי קטן

וחסר ביטחון, הפיץ שמועה מרושעת שמהנא ישב שנתיים על משהו ממש חמור, לא סתם איזה נפקדות או עריקות או שבירת שמירה אלא אונס או גנבה או שילוב של השניים, אבל הרכילות הזאת רק הפכה את מהנא לעוד יותר יקר בעיני, כי היא עמדה בסתירה גמורה לענווה המוחלטת שלו, והתמוססה ונמוגה מעצמה מול הרצינות התהומית שניבטה מהמבט שלו, מהנוכחות האילמת שלו שגורמת לי להרגיש לידו כמו חרק קטן ונוח להימחץ.

ואז גם ידעתי שבדיוק כמו שניבאת לי מזלי הטוב לא אכזב, משאלתי התגשמה, דמותו המורכבת של המלך העגמומי הגיעה אלי בדיוק כפי שביקשתי, ולא יכולתי שלא להבחין בצירוף המקרים המשונה, שמהנא, ששוכב במיטה לידי במדים האמריקאיים המנומרים והמגוהצים, הוא השתקפות בשר ודם של דמות שחזיתי בה בעיני רוחי רק לפני כמה ימים, וכאילו יצאה מתוך איזה עולם ערטילאי בממד אחר, כדי להיות כאן, לצדי, וההשתאות רק הלכה וגברה כשמכל האסירים באוהל מהנא הסכים לדבר רק איתי, והכל במשפטים קצרים ועמומים המקפלים בתוכם עולם ומלואו, כמו "נעים מאוד להכיר אותך, נדב," או כמו "לא, תודה, אני לא מעשן, זה אסור לפי הדת שלי," ובחיים שלי לא פגשתי דרוזי, לא הייתי מודע לאוכלוסייה הזאת, רק משהו עמום על זה שהם מתגייסים לצה"ל ומאמינים בגלגול נשמות ועושים יופי של פיתות עם לבנה על טאבון, אבל יותר מזה כלום, ופתאום הוא לידי, ואני רק מחכה לרגע הנכון לשאול אותו אם יסכים להשתתף בפרויקט שלי, בתסכית שאולי יום אחד עוד אקליט ואשמיע לעולם כולו.

אני שולח לך את המכתב הזה לפני שתיעלם לי שוב לחו"ל (אני מכיר אותך, יש לך קוצים בתחת, מיכאל, וכרטיס פתוח לנסיעה מסביב לעולם), בידיעה שמשהו מוזר ומסתורי עוד אמור להתרחש כאן, ובינתיים כתוב לי בבקשה אם באמת התקדמת עוד צעד

בחִרפון הכללי שלך והלכת לעשות סיאנס עם האישה המטורללת שהתחילה איתך בתל אביב (לא חסרים שם קוקואים, אתה יודע), רק תשמור לא להיכנס לאיזה כת ולא לקבל בטעות איזה דיבוק של נפש תועה שתיכנס לך לתחתונים ורק בסוף, עם איזה מגרש שדים מקצועי, תסכים לצאת לך מהתחת.

זהו, זיינתי את השכל מספיק להיום, אז ביי בינתיים.

שלך,

נדב

[כעבור שלושה ימים]

שלום שלום נדב...
מיד אענה ואכתוב לך על כל הדברים הנפלאים שסיפרת לי עליהם (אשמח להאזין ל"מלחמת העולמות בכלא שש"!), אבל לפני כן, ברשותך, ועל אף חוסר הנימוס שבדבר, אני חייב לחלוק איתך כמה מהדברים המוזרים שעברו עלי מאז מכתבי האחרון אליך, משום שאני חש נסער ומבולבל ואינני בטוח כלל ועיקר שתאמין לשרשרת האירועים שאני מתכוון לגולל בפניך, ובכל זאת, נדב, אני נשבע לך שכל מילה אמת היא, ואשתדל מאוד לתאר את הדברים כהווייתם, בדיוק כפי שקרו, בלא לכחד ובלא להשמיט דבר.

באותו ערב, במוצאי שבת, נסעתי לאוולין כל הדרך מפתח תקוה אל כתובתה בגבעתיים, סמוך לרחוב שינקין, ומצאתי עד מהרה את הבית, שתיארתי לי בדמיוני כבית מכשפה קסום נוסח עמי ותמי, אך התברר שאיננו אלא בניין מגורים ישן וטיפוסי למדי לנוף האורבני המכוער של ארצנו, מבנה על עמודים, הודעות בטוש אדום מטעם ועד הבית, מרפסת שנסגרה בתריסול, עץ פיקוס בכניסה.

נקשתי על דלת הפלדלת החומה שלא הסגירה שם פרטי או שם משפחה, ואז, מתוך הדירה, שמעתי שוב את הצחוק ההוא, הטהור, האבוד, ונמלאתי חום ותשוקה.

אוולין, ענודת שרשראות חרוזים צבעוניות, פתחה את הדלת בחיוך רחב ובעיניים נוצצות והכניסה אותי אל דירה קטנה, רגילה בתכלית, עם מרצפות מנוקדות בסגנון שנות השבעים, רהיטי עץ כבדים, מטבח פורמייקה ענתיקה, ובה מצאתי, לאכזבתי הקלה, שלוש נשים נוספות שאת שמותיהן שכחתי מיד לאחר שהוצגו בפני. אחת מהן שכנה, האחרות חברות ותיקות. אוולין אמרה, זה

מיכאל, נווד בנשמתו שהפך להיות עורך דין. הנשים מיהרו לצחקק, ואני הרגשתי מטופש ומיותר, תרנגול זקן, נווד בלי בית, בין ארבע תרנגולות קרקרניות. הכל נראה פרוזאי לחלוטין, בלא שום הוקוס פוקוס או מגיה שחורה. אחרי כמה פטפוטים מיותרים הודיעה אוולין כי אנו מתחילים בטקס, והנה מתברר כי החבורה הזאת מתכנסת לפחות פעם בחודש, תמיד במוצאי שבת, למשחקי סיאנס והעלאה באוב לשם השעשוע, לא ברצינות בכלל, סתם כך להעביר את הזמן ולהתייעץ על הא ועל דא.

לשאלתן של הנוכחות עניתי בגילוי לב שכדבר הזה לא עשיתי מעולם, לא תקשרתי עם רוחות, לא חשבתי על קיומן, לא התעכבתי ולו לרגע קל לשקול ולהרהר אם יש או אין חיים לאחר המוות, והודיתי שאני כאן רק משום הזמנתה האדיבה של אוולין, אבל אולי במחשבה שנייה כדאי שאלך, אולי מתים ורוחות ונשמות תועות הם בדיוק מסוג הדברים שאנו **לא** אמורים לעסוק בהם. הנשים הניפו ידיים בצחקוק ובביטול ופקדו עלי לשבת ואני עמדתי שם פוסח על שתי הסעיפים ואז חשבתי לעצמי, למען השם, אם נישקתי גבר בטורונטו ואם עישנתי סמים בריו דה ז׳נרו ואם בזבזתי משכורת של שנה שלמה על טיול בן חודשיים, בוודאי אוכל גם להוסיף עוד שטות אחת לרזומה המשיגנע ההולך ומתעבה שלי ולהשתתף, לכל הרוחות, בטקס סיאנס בגבעתיים!

התיישבנו מסביב לשולחן האוכל המכוסה שעוונית ועליה האביזרים ההכרחיים: שני נרות נשמה מהבהבים, כוס זכוכית פשוטה, הפוכה, ללא ידית, ולוח בריסטול מצויר ביד לא בוטחת, עם כל אותיות האל״ף־בי״ת והספרות מאפס עד תשע, ו״כן״ ו״לא״ ועיגול מסומן באיקס שעליו היתה הכוס ההפוכה מונחת. אוולין ביקשה מכל הנוכחים להושיט אצבע ולגעת בעדינות בתחתיתה של הכוס ההפוכה, מלמלה תפילה קצרה ואז אמרה בקול רם וצלול, בלי שמץ של

אברקדברה, ״רוח, רוח, בשם השם והיקום האוניברסלי, האם את כאן?״

תוכל בוודאי להאמין לי כי הייתי אכול ספקות כשישבנו שם, ארבעה אנשים מבוגרים שכבר חצו את קו האמצע של חייהם, והמתנו לתנודתה של כוס זכוכית על לוח בריסטול פשוט. כשאוולין חזרה שוב ושוב על משפט הפתיחה התמוה בלי ששום דבר קרה התחלתי לחשוב שאולי אני האשם, אני, בספקנות שבי, בקריירה האנליטית של למעלה משלושים וחמש שנה בפרקליטות מחוז מרכז, אני הוא החוסם את התקשור המיוחל עם העולם שמעבר, עם רוחות הרפאים וישויות האור או השד יודע מה, ואז, דווקא כשהייתי שקוע במחשבות נכאים ופקפוקים וכמעט החלטתי לקום וללכת, פתאום זה קרה, נדב, אני נשבע לך בכל היקר לי, במאור עיני, בחייה של גרושתי, בגאווה המקצועית שלי כמשפטן, **זה פשוט קרה** – הכוס זזה כמו מעצמה, כשאצבעותינו נוגעות־לא־נוגעות בתחתיתה, אל משבצת ה״כן״, ואחרי כן חזרה אל מקומה במשבצת הפתיחה המסומנת באיקס, ונָדַמָּה.

ואז התחילה מעין שיחת חולין שניהלה אוולין ביד רמה עם כוס הזכוכית ההפוכה. היא שאלה את הרוח מה שמה ונענתה בתחילה בבליל של אותיות לא ברורות, אך עד מהרה הלכה איכות הקו הספירירטואלי והשתפרה והתשובות המאויתות אות אחר אות נעשו ברורות יותר, ואוולין תחקרה אותה היכן גרה ואיך מתה, והכוס זזה במהירות ובנחישות לאורך ולרוחב, באלכסונים למעלה ולמטה, על גבי לוח הבריסטול, כשהיא מצרפת אות לאות לתשובות קצרות ותכליתיות ושבה בסיום כל מילה אל משבצת הפתיחה.

אט אט התחוורה התמונה המלאה כהווייתה, קוראים לה בי״ת־למ״ד־וי״ו־מ״ם־ה״א, ״בלומה״, היא היתה ״ת־ו־פ־ר־ת״, נפטרה ב״פ־ו־ל־י־ן״, במחנה ״אוושביץ״ (השגיאה במקור), יש לה מסר ל״אוולין״, היא מוסרת לה שהיא צ־ד־ק־ת, ״צדֶקֶת״ (צחקוק

פראי של הגברות), היא ממליצה להשקיע במניות גימ"ל-זי"ן (האומנם הכוונה למרבצי הגז של ישראל? לאלוהי הנשמות פתרונים), היא חושבת שראש הממשלה שלנו הוא "בהיימעס".

ואני מביט בשעשוע מהול בפקפוק במשחק המוזר הזה, משום שמצד אחד, לפי מראה עיניים הכוס באמת זזה, ומצד שני אחיותי בנות הכשף הן אלה שאוחזות-לא-אוחזות בה יחד איתי, הגבר היחיד בחדר, האיש הנגרר, הטירון בענייני המיסטיקה והנשמות והרוחות, וחשד עמוק התגנב ללבי שחבורת הנשים הלא קרואות קשרו מבעוד מועד קשר להתל בי, ואז גמלה בי החלטה לזמן מישהו שאני מכיר, אני ולא הן, לבחון את אמיתותו של הטקס המוזר. אדם יקר, שמת לפני שנים רבות ובכל זאת בכל יום ויום אני שב ונזכר בדמותו הכריזמטית, האהובה, הלוא הוא סבי המנוח, אביו של אבי, שהיה מניח אותי על ברכיו בילדותי, ומעביר את ידי הקטנה על זקנו הג'ינג'י וצוחק מלוא גרון, ותמיד היה שמח וטוב לב על אף הצרות הרבות שזימנו לו החיים.

ביקשתי מאוולין רשות לנהל את הסיאנס במקומה על אף ניסיוני הדל והיא צחקה את הצחוק הנפלא שלה והניחה כף יד חמימה על זרועי ואמרה, תפדל, ואני כחכחתי בגרוני, וכשאצבעי מהודקת אל הכוס יחד עם אצבעות הגברות הנכבדות, אמרתי בקול רועד, אבקש לקרוא בבקשה לרוחו של סבי, אליהו בן רבקה.

שתיקה.

הכוס לא זזה.

העולם כולו קפא.

ציפור לא צייצה. רוח לא נשבה. מכונית לא צפרה.

בהלת פתע אחזה בי: האם לא חטאתי ברגע זה חטא בל יכופר? הלוא סבא היה אדם מאמין, חובש כיפה, התפלל כל בוקר בבית הכנסת, והנה אני, בניגוד לכל כללי היהדות, מטריד אותו ממקום

מנוחתו, מזעזע את עולמו בבור קברו, עושה את ההפך מן האמונה שליוותה אותו כל ימי חייו.

ופתאום הכוס זזה. "כן". וחזרה למקומה.

"סבא, אתה כאן?"

הכוס (בתזוזה מהירה): "כן".

"סבא, אני כל כך מתגעגע אליך ומתרגש מאוד לדבר איתך עכשיו, אבל עלי רק לוודא כי אתה הוא אתה ועל כן, בלי כל כוונה להעליב אותך חס וחלילה, אשאל אותך – איפה נולדת?"

הכוס נעה במהירות ובנחישות לאורכו ולרוחבו של לוח הבריסטול, מאות לאות, עד שנחה על מקומה בשלום: צ-פ-ת.

סבא, דור שביעי בארץ, נולד בצפת. הגברות הנוכחות לא ידעו זאת. רק אני. ואני לא הזזתי את הכוס, בקושי נגעתי בה קלות. ובכל זאת הספק ניקר בי.

"ומה שם אבא שלי, בנך?"

הכוס: מ-ש-ה.

אבי, משה, הוא היום בן תשעים, חולה סיעודי בבית אבות בשדרות ירושלים ביפו. אנחנו לא כל כך בקשר, וליתר דיוק כלל וכלל לא בקשר – סיפור ישן, נדבי היקר, שלא כאן המקום לגולל אותו. מכל מקום אבא שלי, משה, נחשב לכבשה השחורה במשפחה שלו, שבעה אחים, ומעולם לא הסתדר עם סבא אליהו, שלא חסך ממנו את שבטו ותמיד לעג לו על בחירותיו בחיים.

השאלה הבאה עלתה על שפתי כמו מעצמה: "סבא, האם יש גיהינום?"

הכוס נעה בהחלטיות: "כן".

"מה הוא הגיהינום?"

אולי שאלה חצופה בהתחשב בנסיבות, אבל הסקרנות אחזה בי ולא יכולתי לעצור בעד עצמי. הכוס המתינה מעט בטרם ענתה.

אילו תיאורים מזעזעים בכוונתה לאיית לנו? אש וגופרית, סד ומהפכת, אמבטיות נצח של צואה לוהטת? כוס הזכוכית ההפוכה זעה חרישית אל ארבע אותיות בלבד ואז חזרה, מבוישת, אל מקומה. עקבנו אחריה, אני והגברות, שכבר לא התלוצצו כמקודם. חי"ת... רי"ש... מה היא מאייתת שם? טי"ת... ה"א...

הגיהינום בעיניה של הכוס או הנשמה או השד יודע מי שתִקשר איתנו כעת בסלון דירת השלושה חדרים בגבעתיים הוא "ח־ר־ט־ה".

כל כך עמוק ומדויק.

זה העינוי האמיתי, להסתכל אחורה על חייך ולהתחרט לעד על השגיאות ששגית ולעולם כבר לא תוכל לתקן.

ידעתי שאני עלול להכאיב לנשמה המצויה אי־שם בעולם שמעבר, בין רוחות המתים, אך שוב לא יכולתי להתאפק. "על מה אתה מתחרט, סבא?"

הכוס שוב נעה: "משה". ואז הוסיפה, כמו להשלים את התשובה: א־ה־ב־ה.

"אתה מתחרט על כך שלא אהבת אותו מספיק?"

"כן".

"איך אוכל לתקשר איתך שוב אם ארצה?"

הכוס עצרה לרגע ואז אייתה לאט חמש אותיות.

מ

ח

ש

ב

ה

מחשבה.

רק לחשוב על סבא המנוח, זה מספיק. השאר כבר יבוא מעצמו.

נדב, בוודאי תוכל לשער עד כמה עמוקה היתה הסערה שגעשה כעת בתוכי. החדר הסתחרר סביבי. ידעתי שעלי לקום וללכת, אבל הפיתוי להמשיך ולדלות מידע מנשמתו של סבא האהוב היה גדול מדי. הרשיתי לעצמי לברר עוד שאלה אחת בטרם אמלט בחזרה אל עיר המקלט שלי, פתח תקוה, אל מקום שבו הרוחות לא מדברות והכוסות לא זזות כמו מעצמן. שאלתי אותו שאלה אחרונה שמציקה לי כבר זמן רב, למרות שלכאורה אין בה כל רלוונטיות לחיי.

"ארצה לדעת בבקשה, האם יש היום גבר בחייה של גרושתי?"

הגברות פלטו צחוק נבוך. אוולין שיחקה בשרשראותיה, משועשעת, וכולנו עקבנו אחרי תזוזתה האילמת של הכוס על לוח הבריסטול:

"כן".

לא שאכפת לי, לא שאכפת לי בכלל, ובכל זאת.

"מה שמו?"

הכוס נעה בהחלטיות. "גיל".

רק אייתה את שמו, וכבר שנאתי את האידיוט. גל של חום הציף את בית החזה ופני התנפחו והאדימו בבת אחת. מי זה הפוץ הזה שעוגב על אם ילדַי? אוולין הביטה בי מודאגת מעט, וסימנה לי שאולי הגיע הזמן לסיים, אבל אני ביקשתי רק עוד שאלה אחת, שאלה קטנה אחרונה לסיום, בבקשה, לפני שבעלת הבית קטעה את הערב והודיעה על סיומו של הסיאנס, מעט מוקדם מן הצפוי:

"מה מספר הנייד שלו?"

נדבי, החיים מלאים צער וכאב ואשמה וחרטה, ומה אנחנו מנסים לעשות בכל הימים האלה שאנו חיים אם לא להתמיר את הרגשות הקשים והרעים האלה למשהו אחר, לשמר את האנרגיה העצומה

הגלומה בהם אבל להפוך אותה לשיר או לסיפור או לתסכית או למסע מסביב לעולם או לתקשור עם רוחות.

אני מצטער על המכתב המוזר, וכדי לפצות אותך מצרף אליו חבילה של דברים טובים.

כתוב לי מהר, אני מחכה לשמוע ממך.

שלך,
בבלבול חושים קל,
מיכאל

נ"ב

התקשרתי למספר הנייד שקיבלתי מהכוס המאייתת. אחרי שישה צלצולים ענה לי איזה שמנדריק אחד ב"הלו" שחצני. אמר שהוא מ"גיל ביטוחים".

ניתקתי מיד.

[כעבור שלושה ימים]

לאיש הינשוף שלום,
אחרי שקראתי את המכתב האחרון שלך החלטתי שזה השם שהכי מתאים לך בעולם, **איש הינשוף**, כי אתה חכם ומפתיע ומסתורי כמו ינשוף, וגם בגלל שאני נורא אוהב לקרוא את המכתבים שלך מאוחר מאוד בלילה, כשכולם מנסרים בנחירות שלהם באוהל, ואני, לאור הירח הקלוש על רחבת המסדרים, מצרף אות אל אות ומשפט אל משפט מפניני החוכמה שלך ונהנה מהן לאללה.

כאילו, היציאה הזאת שהגיהינום לא קיים אלא הוא עינוי נצחי של רגשי חרטה היא בדיוק מסוג הדברים שהייתי מצפה לשמוע ממך, ושלא יהיו לך ספקות, אני מאמין **שאתה** מאמין שהכוס זזה מעצמה, אבל ברור לי שאתה הובלת את האצבעות של שאר הגברות באמצעות תזוזה קלה ובלתי נראית של שרירי האצבע אל התשובות שאתה כבר ידעת בעמקי לבך.

אבל כאן, אחרי כל התשבחות, אני חייב לעצור רגע ולהגיד לך שהחוויה המיסטית שעברת היא בעיני רק אשליה עצמית במקרה הטוב או הונאה של שלוש הגברות הנ"ל במקרה הרע, מן הסיבה הפשוטה שאין שום עולם שמעבר, אין שום נפש או נשמה, ובטח־בטח שהנפש, או מה שזה לא יהיה, לא נשארת אחרי המוות ולא מתקשרת בעזרת כוסות או מדיומים.

למרות ששמעתי על כאלה שעשו סיאנס (חיילת אחת שתקשרה עם דוד שלה ויצאה אחר כך מדעתה), אני בחיים לא עשיתי סיאנס וגם לא אעשה את זה, אני לא מאמין בשטויות האלה, אני בכלל נגד כל תובנות הניו־אייג' המגוחכות האלה שיש נשמה נפרדת מהגוף ושהיא נשארת אחרי המוות שלנו, כאילו, מיכאל, תחשוב על זה

רגע אחד ברצינות, קח את זה בתור תרגיל מחשבתי, **יצא לך לפגוש פעם את הנשמה שלך?**

נסה לעצום עיניים ולהתרכז חזק ולהניח לזרם הבלתי פוסק של מחשבות, נראה לך שבסוף תפגוש איזושהי מהות נפרדת ממך שיש כמה טיפשים שמכנים אותה "הנפש"? ברור שלא, כי אין שום נשמה מסתורית, נצחית, מופשטת, בתוך הגוף שלנו, ואם עוצמים עיניים ומנקים את הראש לדקה אפשר לפגוש, מקסימום, רק את החברים הוותיקים והחמודים שלנו – הצער והכאב מהחרא של החיים וכל המחשבות הרעות שבעקבותיהם – ולא יותר מזה, וכבר כאן קיבלת הוכחה ניצחת שאתה מתעסק בשטויות.

אני יודע שזה מאוד מפתה לחשוב, ובטח בגילך המתקדם, שיש משהו מעבר, שיש נפש מעבר לגוף, שנשארת אחרי המוות ויכולה לספק תובנות בחינם, אבל דוד מיכאל הינשופי, עצתי לך היא לוותר על האשליה הזאת כי היא רק פנטזיה אבסורדית שלא תוביל אותך לשום מקום, חוץ מאולי לגהה או לאברבנאל.

אז אני מציע לך להפסיק מיד את המסעות המטפיזיים בדירות שלושה חדרים בגבעתיים, טוב לא יצא לך מזה! אם כבר נדלקת על אוולין אחרי שעשר שנים אתה פחות או יותר לבד (אם להאמין למה שכתבת לי פעם), אז תעשה אותה ותמשיך הלאה, אתה לא צריך להתחרפן רק כדי להשכיב מישהי.

אצלי בינתיים העניינים משתפרים – לא להאמין אבל עברתי כבר כמעט חצי מהתקופה בפנים, מה שאומר שעד סוף החודש אני כבר בחוץ, ומה שעוד יותר מוזר זה שמכל החרא והבאסה של להיות בכלא יצא לי משהו טוב שלא חלמתי עליו מעולם, והוא שמצאתי לי חבר אמיתי, כזה שבחיים לא היה לי, חבר שיישאר איתי בלבי ובנשמתי עד יום מותי.

אני מתכוון כמובן למהנא, שלקח לו בדיוק עשר דקות להפוך למנהיג הבלתי מעורער של פלוגה א׳, מהנא שנמצא במיטה לידי באוהל, שהולך איתי למסדרים, שאוכל רק לידי בחדר האוכל, ששואל לשלומי כשאני חוזר מעוד ארבע שעות שמירה עם משרוקית, שמצחיק אותי כשאני שוקע במחשבות נכאים ורוצה לבכות, מהנא שהוא פשוט הבחור המדהים ביותר שפגשתי בחיים שלי, כובש בנוכחות שלו, אחד שלא צריך לצעוק ולא לעשות אבו־עלי ולא לאיים בכוסות על הפרצוף, מספיק עפעוף קטן של קצה הריס בעין השמאלית שלו כדי לגרום לך להשתתק ולעשות בדיוק מה שהוא רוצה, אבל איתי הוא מדבר הרבה.

מהנא אומר שלא צריך להתרגש מכלום בחיים האלה, כי מה אנחנו בכלל, רק גרגר אבק בתוך יקום נצחי, אנחנו אפילו לא אלפית של שנייה מול ים הזמן התמידי, אז כדאי שניקח דברים בפרופורציה, או ליתר דיוק, נתייחס לכל דבר בשוויון נפש גמור, בחוסר אכפתיות, בשתיקה ובהכנעה, ואני אומר לו, אבל איך אפשר להתעלם מכל חוסר הצדק של החיים האלה, כאילו, אם להיוולד אז למה בישראל, ואם בישראל אז למה להתגייס, ואם להתגייס אז למה לחיל כללי בבסיס צ׳, ואם בחיל כללי בבסיס צ׳ אז למה ליפול על שלומי ש׳, ואם ליפול על שלומי ש׳ אז למה להיכנס לכלא שש?!

ומהנא אומר לי, זאת בדיוק הבעיה, שאתה חושב שאתה במרכז הסיפור הזה, אבל אתה, נדב, רק עוד חוליה קטנה בשרשרת האינסופית של דורות, אתה רק עוד גרגר קוסמי ביקום האינסופי, ואף אחד בעצם לא מכוון שום דבר נגדך ואף אחד לא זומם שום דבר נגדך, אלא האמת הפשוטה היא שלאף אחד לא ממש אכפת ממך, אתה פשוט קיים לשבריר שנייה ואז מעביר את הלפיד הלאה, אז בשביל מה בכלל להתרגש מכל ההצגה הזאת, צריך פשוט

להוריד את הראש בהכנעה, ולדעת שאנחנו קצת יותר מאפס, אבל לא הרבה יותר, ואני מקשיב לו והמילים המשונות האלה גורמות לי להירגע לאט לאט, כי באמת נדמה לי תמיד שאני הגיבור של איזה ספר, שהעיניים של כולם נשואות אלי, בזמן שאולי מהנא צודק וזה בכלל לא ככה, אני רק פסיק קטן בתוך ספר עב כרס על מדף ארוך בתוך ספרייה ענקית, ולמי בכלל אכפת ממני, מי בכלל יטרח לזמום נגדי מזימה?

בבוקר כולם עושים כבוד למהנא ונותנים לו להתקלח ראשון, שלא יחכה חס וחלילה בתור, ולי, בתור ע' מנהיג האוהל, מגיעה הזכות להיכנס מיד אחריו למקלחון היחידי המכוסה בווילון פלסטיק, ורגע לפני שהוא לובש בחזרה את המדים האמריקאיים המנומרים אני מגניב אליו מבט קצר, כי בחיים שלי לא ראיתי גבר עם גוף כל כך מושלם, הוא כמו שילוב של אל יווני ופרסומת לתחתוני גברים, והכל על רקע צבע עור חום בהיר שנהבי מבריק כאילו נמשח זה עתה בשמן לקראת קרב גלדיאטורים, הוא פשוט גורם לי לגלי חום של קנאה והערצה!

מהנא לא מוכן לגלות לי, אפילו לא בסוד, על מה הוא ישב או כמה זמן הוא בכלא שש, אבל העיניים שלו מספרות לי את כל הסיפור, עיניים גדולות וירוקות עם כתמים עדינים בצבע כתום וחום, בעלות עומק אינסופי, שנשקפת מהן עצבות של אדם שחייו נשברו לרסיסים, מוות, עוני, בגידה, אני לא יודע, אין לי מושג איך אפשר לקבל את כל תלאות החיים בלי להתחרפן או בלי לכעוס או בלי לקום ולהתמרד, איך אפשר להיות כל כך שקט וכל כך רגוע, איך אפשר לעצום עיניים ולהפוך את הנחשולים הגואים שם בפנים לאגם חלק, שקוף וצלול, אולי זה קשור לאמונה של הדרוזים, וגם של מהנא כמובן, שכל זה לא באמת משנה כי במילא החיים המסריחים והאומללים האלה הם רק גלגול אחד מני רבים ובפעם

הבאה יהיה אחרת, אולי טוב יותר, אולי רע יותר, ובכל מקרה זה הגורל, זה מה שנגזר, ואין שום טעם להתווכח או להתלונן או למרוד.

וכששוב בא לי לבכות ולרחם על עצמי מהנא קורא לי ואומר, אתה יכול, נדב, ואני אומר, יכול מה, ומהנא אומר, זה בסדר, לאף אחד לא באמת אכפת אז פשוט תעשה את זה, והוא פורש את זרועותיו ומותח את בית החזה שלו ואני נכנע אל החיבוק שלו, חיבוק טוב, חם ואוהב בין שני חברים, והאמת היא שלא אכפת לי מה דימה ממלמל מתחת לשפם המטפורי שלו על זה, אני פשוט עומד באמצע האוהל הצבאי המתנפנף ברוח ומתחבק עם מהנא כמה שבא לי, גבר אל גבר, ומרגיש איך השלווה שלו מחלחלת אלי דרך הנשימה שלו והזיעה שלו והריח שלו, ואני לאט לאט נרגע.

ועוד דבר נחמד שקרה לי ושהפך אותי למלך פלוגה א׳ ליום אחד היה מה ששלחת לי עם מכתב הסיאנס המוזר שלך, ואני מתכוון כמובן לחבילה הענקית הזאת שצנחה אחה״צ אחד על המיטה שלי, באמצע השק״ש, וכולם הסתובבו סקרנים לראות מה זה, כי אף אחד לא מקבל כאן חבילות (וממילא אי אפשר לשלוח לכאן כלום, לא אוכל ולא ממתקים ולא סיגריות לבנות), וברור שאת החבילה הזאת מישהו בדק ובכל זאת אישר להכניס פנימה, וכולם מתאספים מסביב, לא רק מהאוהל שלנו אלא מכל פלוגה א׳, וגם מד״כ אחד או שניים מותחים את הצוואר לראות על מה כל המהומה, ואני רואה את השם שלך רשום בתור השולח וכבר צוחק בתוך לבי לראות איזו שטות רקמת הפעם, וכשאני מקלף את ניירות הדבק החומים ופותח את החבילה אל אור השמש, נגלות לפני ונגלות לעיני כל החיילים וכל האסורים וכל הכלואים וכל העל״מים וכל מדוכאי העולם באשר הם, חבילות עצומות, זוהרות וצבעוניות של

קונפטי, מאות ואולי אלפי פתיתים של ניירות מנצנצים באדום, ורוד, לבן, כחול, צהוב, ובצורת לבבות, פרפרים וכוכבים, ובלי כל שהיות כולנו מתנפלים על שקיות הניילון השקופות, קורעים את השקיות בשיניים ואז מפזרים באוויר בצרחות של אושר מטחים של קונפטי, גשם של צבעים שכיסה בבת אחת את האוהלים הירוקים, ואת רחבת המסדרים, ואת לולו ואת שאר המד"כים ואת הר האושר ואת כל שאר הפרטים המדכאים שמרכיבים את הג'יפה של חיינו, ונעשה לנו מין נס כזה כי מאגר הקונפטי ששלחת לנו כאילו לא נגמר, כל הזמן מצאנו שם עוד ועוד שקיות ניילון עם עוד ועוד פתיתים וסלילים וספירלות בעוד ועוד צבעים וצורות, וכשעמדנו שם, על המיטות, וירינו אחד על השני מטחים של קונפטי, וכשהמד"כים הצטרפו אלינו ברעמים של צחוק, וכשמהנא הסיר בחיבה כמה פתיתים שנחו על ראשי, זה היה, מיכאל, אחד הרגעים המאושרים בחיי.

נדב

[כעבור שלושה ימים]

שלום שלום נדב היקר, אני שמח שאהבת את המתנה ששלחתי לך, וכמובן גם תודה מקרב לב על הכינוי החדש שמצאת לי, "איש הינשוף", לכבוד הוא לי, באמת, רק שאין כל ודאות כלל ועיקר שאני ניחן בשכל ובחוכמה של הינשוף אלא להפך, לי נדמה שעם הגיל אני דווקא הולך ומיטפש, ובעיקר אני הולך ומגלה שאף שבצעירותי חשבתי שאני מבין הכל הרי בעצם אינני מבין שום דבר. החיים הם בכלל לא מה שחשבתי, אין בהם רק נישואים וגירושים ולידות ומיתות וכל מה שביניהם. כנראה חייתי בטעות גמורה כשחשבתי שהחיים רציונליים ושפויים וצפויים למדי, כי הנה גיליתי דרכך שאפשר למצוא נחמה גם בחיבוק אמיץ בזרועותיו של חבר, שאפשר לחוות רגע מאושר דווקא בין כתליו של בית האסורים, וגם גיליתי שיש עוד יקום שלם ונסתר מן העין ומספיקה כוס זכוכית הפוכה כדי לקבל קמצוץ של טעם ממנו.

קשה לי להסכים איתך שאין נשמה, בפרט לאחר התרגיל המחשבתי שהצעת לי. עצמתי את עיני בסלון דירתי בפתח תקוה, נשמתי עמוקות, ניקיתי את מוחי מכל מחשבה, והבטתי פנימה אל עצמי כדי לפגוש את הנפש, אבל במקום להיכשל במבחן, כפי שהזהרת, הרגשתי דווקא שהצלחתי בו, משום שמעבר לדממה ומעבר לחושך ומעבר לשובל המחשבות הנשכחות, מעבר לכל אלה היתה נוכחות של מישהו – או משהו – שהיה שם, שחיכה לפגוש את הנשמה, שעשה את התרגיל המחשבתי הזה, ומי היתה אותה ישות שבתוכי? הרי אלה לא היו כלי הדם שלי ולא השרירים שלי ולא הגוף שלי, זאת היתה נוכחות בעלת קול פנימי הקיימת בכולנו, בנפרד מהגוף.

מצד שני, קשה לי גם להשלים עם המחשבה שאנו מוקפים

בנשמות בלתי נראות שצופות בנו ומדברות איתנו ומייעצות לנו, ושניתן לתקשר איתן בכל זמן, בכל עת, ובכוח המחשבה בלבד ניתן לדבר איתן ולקבל עצה טובה או דבר עידוד ונחמה – זה הופך את החיים למוזרים כל כך!

אותו ערב, כשחזרתי הביתה לרחוב הלר בפתח תקווה, הסתכלתי מבוהל על להבת הגז בכיריים, שנעה חרישית ימינה ושמאלה, התפצלה לשבריר שנייה לשתי בנות־להבה סגלגלות, ואגרוף ממוסמר הלם בי מבפנים. האם ייתכן שזה סבא המנוח הרומז לי רמזים באש, או איזו נשמה תועה שרדפה אותי עד לביתי כדי לספר לי סיפור מן העולם שמעבר, או שמא אני יוצא מדעתי?

למחרת בבוקר החלטתי בלב שלם, ובנפש קולטת וחפצה, לקיים את עצתך הנבונה ולהמשיך במסעותי הפיזיים במקום אלה המטפיזיים, משום שגם אם כוס הזכוכית באמת זזה, בוודאי יש לזה הסבר הגיוני או פיזיקלי כלשהו ואין כל צורך לזנוח חיים רציונליים שלמים שנבנו ביגיעה אישית, בעמל וביזע ולהשליך את הכל בגלל ערב אחד עם חבורת נשים מפוקפקות.

ביליתי יום נעים בהחלט בין כותלי ביתי, במשחקי כדורגל־חתולים עם סימבה, במסירות־חתולים ומחבואים־חתולים והיאבקות־חתולים, עד ששנינו התעייפנו ופרשנו לענייננו, הוא להתכרבלות בריבוע שמש חמים על הרצפה, ואני לעלעול במקומון שמצאתי בתיבת הדואר שלי.

במעמקי לבי כבר השלמתי עם ההחלטה לסגור את הצוהר שנפתח קמעה אל העולם הספיריטואלי, כי הוא מתאים אולי לנשים כַּשְׁפָּניות או לנשמות תועות ואבודות אבל לחלוטין לא למשפטן בכיר בפרקליטות מחוז מרכז.

אבל בשעה שתים־עשרה בלילה פחות עשר דקות נשמע צלצול

קופצני בדלת הכניסה וזאת היתה היא, האישה הפטפטנית עם
המבטא הדרום-אמריקאי והשרשראות העליזות ותיק הצד הסגול
הקטן, שנכנסה פנימה ברגל עולזת ואמרה ללא התנצלות, כאילו
נוכחותה בדירתי בשעה מאוחרת זו היא הדבר המתבקש ביותר
בעולם, ראיתי שהיית קצת נסער אתמול ובאתי לוודא שהכל בסדר.

אמרתי, הכל בסדר גמור, אוולין, באמת שלא היית צריכה, והיא
שוב צחקה את הצחוק המתגלגל שלה ואמרה, לא צריך להיות כל
כך מנומס, באמת, החיים קצרים מכדי לבזבז אותם על גינונים
מטופשים.

היא הורידה שרשרת אחרי שרשרת ובעודי לוטש מבט נדהם
אמרה, מה איתך, תוריד את החגורה, היא מיותרת לגמרי, אלא אם
תגיד לי שאתה ממש לא בעניין, ואני חייכתי חיוך שבטח נראה
מטופש ואוולין צחקה צחוק גדול והובילה אותי בטבעיות אל חדר
השינה, כאילו גרה כאן מאז ומתמיד, שדיה מתנועעים בעליזות,
ללא כל רסן, סייג או חזייה, ואני הלכתי אחריה נרגש מחשיבותו
העצומה של המעמד ההיסטורי שכמוהו לא אירע בעשר השנים
האחרונות – אישה אמיתית בחדר השינה שלי, ואוולין אמרה
בצחוק מפתה של לחישה, עכשיו תשכב על המיטה, לאט, וכיבתה
את האור והדליקה נרות קטנים וקטורת והוציאה כל מיני שמנים
ואבקות סיניות או השד יודע מה, ונשכבה לצדי בבגדיה ונשמה
לאט, שואפת מלוא סרעפת ונושפת דרך הפה בקול גדול, ואמרה,
עכשיו תנשום איתי, מיכאל, באותו קצב, בדיוק כמוני.

היינו לבושים לגמרי, שכבנו על המיטה הזוגית הקרה בלי לגעת
זה בזה, והסרעפות שלנו התמלאו ביחד והאוויר התרוקן ביחד
ואוולין אמרה, עכשיו תוכל להשמיע קולות אנחה בנשיפה,
אההה... ואני עשיתי כדבריה ונתמלאתי השתוממות על הגוף שלי,
ששקע בתוך לאות מתוקה ונעימה וסקסואלית יותר מכל פנטזיה

מינית שאי־פעם היתה לי, ואוולין לחשה, עדיין מבלי לגעת בי בכלל, עכשיו רק האוזן, מיכאל, לא יותר מזה בבקשה, והגישה לי את אוזנה הקטנה, הנקובה בחור קטן ושובב, ואני נשכתי קלות את התנוך הרך, וטעמתי את האפרכסת ותחבתי את קצה הלשון אל תוך הנקב, מעביר בה אנחות של ריגוש, וריח מרגש ומשכר של אישה חמה, דרום־אמריקאית, תאבה ומיוחמת, עלה באפי, ואוולין החלה בוחשת באוזני שלי, ומים רבים התערבלו באוזני בגלים של קור ושל חום, ואחר כך לחשה, תמשיך לנשום לאט, מיכאל, יחד איתי, ואני כבר רציתי להסתער עליה, לאהוב את האישה המשוגעת והמפולפלת הזאת שהכרתי רק לפני ימים ספורים, אבל היא אמרה בצחוק ממזרי, עכשיו רק הזרת, מיכאל, והושיטה את זרתה אל בין שפתי, ומצצה בתשוקה ובאהבה את זרתי שלי, והזרת שלי תינתה אהבים עם לשון ורדרדה, מלוחלחת, וכל אותה שעה דולקים הנרות הקטנים שהביאה איתה אוולין בתיק בד סגול קטן, נרות נשמה מהבהבים בתוך כוסות זכוכית בעלות דפנות מקווקוות.

הייתי לגמרי מבולבל למחרת, נדב, מעולם לא חשבתי שאהיה בקשר כזה עם סוג כזה של אישה, שהיא ההפך הגמור מגרושתי־שתחיה, שהיתה אוחזת תמיד בידה מחברת שחורה עם טורי רשימות של משימות שיש לבצע ומשימות שכבר בוצעו, ומתכננת את החופשות שלנו לפחות חצי שנה מראש, ולעולם לא הולכת לשום מקום, מספרה, מסעדה או בית קפה, מבלי שהזמינה מקום בטלפון.

למחרת פגישתנו הלילית כבר רציתי לראות אותה שוב, מראה האוזן שלה והזרת שלה העבירו אותי על דעתי, וכשהתקשרתי אליה היא השיבה בחיוב ובחיוך על הצעתי כי אקפוץ אליה בערב.

לא העזתי לתכנן שום דבר כי אוולין אומרת שלכל שעה מלאכים משלה ושרק לפי האנרגיות והרטטים בחדר אפשר לדעת מה הוא

הדבר הנכון לעשות באותו רגע, וכשעברתי את סף דלתה היא קרקשה בשרשראות החינניות שלה ואמרה, מיכאל, אנחנו יוצאים הערב למסע, ואני אמרתי בבהלה ובִרגשה, מסע? וכבר חישבתי בראשי איך נעבור בפתח תקוה כדי לאסוף את הפספורט, ואולי ארוז בחטף כמה בגדים, קצרים וגם ארוכים, ואתקַשר לבייביסיטר החתולים שתפקוד את סימבה פעם ביום, ואוולין אמרה, תפסיק לתכנן כל הזמן, זה משגע אותי, והִגישה לעצמה כוס תה ואמרה, שב בבקשה על הכורסה.

צִייתתי מיד לדבריה ואוולין אמרה, יופי, טוב מאוד, אני מאוד מרררוצה ממך, והרי"ש הדרום־אמריקאית התגלגלה בגרונה בחינניות, עכשיו תקשיב, מיכאל, אתה יודע שהגוף נמצא איתך כאן ועכשיו, אבל המחשבה, מיכאל, המחשבה יכולה לנוע לכל מקום ולכל זמן. עכשיו נצא איתה למסע קטן, אתה מוכן? ואני אמרתי, כן, בוודאי, מה צריך לעשות, ואוולין אמרה, פשוט לעצום עיניים ולנשום עמוק.

המסך נסגר על עפעפי, ומעברו שמעתי את אוולין מבקשת בקול שנעשה לחששני יותר ויותר, להרפות את כפות הרגליים, מיכאל, כפות הרגליים קלות מאוד, רפויות מאוד, וגם הכתפיים, קלות מאוד, נחות מכל משא החיים, קלות מאוד ורפויות מאוד, והמילים האלה היו מתוקות יותר מכל מילות האהבה שאי־פעם שמעתי מגרושתי בימי נישואינו, ומרגיעות ומרפאות יותר מכל שיקוי קסמים, משום שבעוד אוולין מדברת במבטא המצחיק והארוטי שלה החלו איברי גופי להיענות היענות מוחלטת לכל הציוויים השקטים שלה, כפות הרגליים נעשו קלילות, כמו מרחפות באוויר, הכתפיים משוחררות, הנשימה עמוקה ושקטה, ומין לאות כבדה ומתוקה הלכה והתפשטה אל הבטן והצוואר.

בעוד הגוף מתרפה ונרגע בעומקי הכורסה המרופטת, הרי

שהמחשבה, ממש כפי שניבאה אוולין, החלה לצוף ולעוף ולעלות, ואוולין מעודדת אותה בקריאות נרגשות וקצובות, למעלה, למעלה, מיכאל, אל מקום שבו כל הידע נפתח לפניך, כל הטוב של היקום גלוי לפניך, עוד ועוד, גבוה גבוה, למעלה למעלה, ואני מרגיש מין עווית קלה בשפתי, משהו מבקש להתפרץ שם, להשתחרר, ואוולין אומרת, כן, כן, שחרר את זה, ואני פורץ בצחוק פראי שאותו אני מזהה מיד ואני אומר לה, אני מכיר אותו, זה פוק! המלאך שראיתי בריו דה ז'נרו!

ואוולין אומרת, זה אחד המדריכים הרוחניים שלך, מיכאל, מלאכים שובבים שכאלה הם לרוב העוזרים, האתנחתא הקומית בתוך רצינות החיים. והיא מודה לו על שגילה את עצמו, ואז מבקשת ממני להמשיך לעוף אבל לא רק למעלה אלא גם אחורה, אחורה בזמן, אל הימים לפני שנולדתי, כשהייתי רק אנרגיה טהורה אי-שם.

והיא שואלת, מה אתה רואה שם, ובעיני העצומות אני מגשש באפלה של מוחי ומכווץ את העפעפיים ומכל הסיבובים והפלבולים מתגלה אט אט מול עיני העצומות תמונה רחוקה של עצמי, כתם מטושטש בתוך שלווה טהורה, ואוולין אומרת, מה הצבע שלך, ואני אומר, לבן עם קצת כחול, ואוולין אומרת בצחוק וברוגע, הסתכל למטה, על החיים, על כדור הארץ, אתה רואה את ההורים שלך? ואני מסתכל פנימה, אחורה, ואומר לה, כן! הנה אמא, בהיריון, צעירה כל כך! אמי האהובה, עליה השלום, הולכת ברחוב עם אבי, יש לו בלורית שחורה ופנים חלקות וצעירות, ואוולין שואלת, מה מערכת היחסים ביניהם? ואני אומר מיד, בביטחון, הם אוהבים, ומצפים לילד הראשון שלהם, עדיין לא יודעים אם זה בן או בת! ואוולין אומרת, מה אמא רוצה, ואני עונה, בן, ואבא, גם הוא רוצה בן, ובכן אני עומד להגשים את המשאלות של שניהם, ואוולין

אומרת, עכשיו תוכל להיכנס פנימה, ואני גולש מן השלווה הטהורה, הלבנה, האינסופית, אל תוך רחם מימי וחמים, ואוולין אומרת, מה קורה עכשיו? ואני אומר, אני שומע אותם, את הקולות של הורי, שומע את אמא, ואת אבא, אבל אלה לא מילים, אלא גניחות, ומיד משתחרר ממני צחוק מתגלגל, רם ומופרע, ופוק אומר, אלוהים אדירים, איזו חוצפה ואיזה חוסר התחשבות, **הם מזדיינים עכשיו!**

ואז אני מרגיש קצת לא בנוח, אין מקום, החלל צר, האיברים דחוסים, ואני אומר לאוולין, אני חושב שהגיע הזמן, הגיע הזמן לצאת החוצה, ואוולין אומרת, זאת לגמרי ההחלטה שלך, תגיד לי מתי אתה מוכן, וחולפת דקה ארוכה ואז, בבת אחת, העיניים שלי מתכווצות כאילו בוהק אור מסנוור הכה בהן פתאום, וצמרמורת מרעידה את כל גופי, האוזניים מצטלצלות, הגוף רועד, והכל נצבע באור שחור, כהה, עלטה של מוות, של חידלון גמור, ומיד אחריה – אור בהיר, נשימה עמוקה, בכי, ואני אומר לאוולין בנשימה קצרה ובקול חד, נולדתי!

ואוולין מתקרבת אל הכורסה ואוחזת בידי ואומרת בלחש ובדמעות, מזל טוב, מזל טוב, מיכאל, ומרגיעה את נשימתי ההולכת ומתנשפת, ואני אומר לה, עדיין בעיניים עצומות, רגע, מישהו מדבר כאן אלי, זאת לא אמא, היא כמעט מעולפת אחרי הלידה, וזה לא אבא, הוא בכלל לא איתנו בחדר, זה מישהו אחר, אישה מבוגרת, שחורת עיניים, כסופת שיער, בעלת מראה אינדיאני כזה.

מה שמה? שואלת אוולין, וההברות מתגלגלות מיד על לשוני, אוּבַּזָה, אני חושב, ומה היא אומרת, שואלת אוולין, ואני עונה, היא מספרת לי על מטרת חיי, התכלית שלשמה הגעתי אל העולם הזה, אל הכוכב הזה, **לחיות חיי נווד ולהביא שמחה אל הבריות.**

וכשאני פוקח את העיניים וחוזר אל החדר אוולין מביטה בי בסיפוק ואומרת, ברכותי, כרגע פגשת את המדריכה הרוחנית הראשית שלך, מיכאל.

נדב. נדבי היקר. איך אומר זאת במילים פשוטות? אני מבולבל, אני נרעד, אני לא יודע את נפשי, אני בתעתוע חושים סוער עד גבה־גלי. אכתוב לך במהרה אחרי שרגלי יתייצבו קצת על אדמת כוכב הלכת שלנו.

אני משער שעד שהמכתב הזה יגיע אל יעדו כבר תעמוד בפני סופה של תקופת המאסר בכלא שש, ומאחל לך מעבר מאושר אל החופש, מעבר לגדרות התיל, למרגלותיו של הר האושר.

אכתוב לך שוב במהרה.

שלך באהבה,
מיכאל

[כעבור שלושה ימים]

לאיש הנשמות שלום,

אני כותב לך מהאוהל בכלא שש, אחרי כיבוי אורות, אחרי שכמעט כולם כבר נרדמו.

אז קודם כל, ברכות על הקטע עם אוולין, לא הייתי יכול לעשות את זה טוב יותר. אני בעיקרון לא חסיד של משחק מקדים (אין לי סבלנות לזה, האמת), אבל במקרה שלכם נראה לי שהבאתם את זה לדרגת אמנות וכל הכבוד לכם, לשניכם.

רק לא הבנתי עד הסוף את הקטע עם הלידה מחדש והכתם הלבן בשמים, כאילו זה איזה סיפור שהמצאת או שחלמת או מה בדיוק הלך שם? ומה הקטע עם חיי הנוודות, אתה באמת חושב שזה מה שהיית צריך לעשות בחיים שלך? אני לא בדיוק עוקב אחריך לפעמים, לא ברור לי אם אתה ממציא דברים או מתאר דברים שקרו או פשוט יכול להיות שאני הוא זה שלא כל כך מפוקס בגלל כל מה שעובר עלי ומה שמצפה לי, אני על קוצים ובהתרגשות כי זה הלילה האחרון שלי בפלוגה א' בכלא שש – מחר אני משתחרר!

לכאורה הייתי אמור להיות המאושר באדם עכשיו, לקראת השחרור המיוחל שלי מחר (הם הורידו לי יום על התנהגות טובה), אבל באופן מוזר אני גם מלא עצבות וגעגוע אל כל האנשים שפגשתי פה. דימה שנאבק בשיניים כדי לדקלם את שורות התסכית שלו, משה ואלי האתיופים, כל אחד ממשפחה אומללה והרוסה באופן אחר (שניהם ישתחררו יחד איתי, מחר), וכמובן מהנא, שרק מלכתוב את שמו אני מוצף בגלים של חום ואהבה.

הערב התחבקנו את החיבוק האחרון שלנו, ומהנא אמר שהיה יכול לחבק אותי במשך שעות, שאני בה בעת שברירי כמו בחורה

וחזק וחכם כמו מלך, והוא מודה לגורל שהצליב את דרכינו, ואני אמרתי לו שבחיים לא פגשתי מישהו כמוהו, שלימד אותי בקצת יותר משבוע מה שלא לימדו אותי במשך שתים־עשרה שנה במערכת החינוך, שאפשר פשוט להיות, מתוך קבלה מוחלטת של מה שיש ושל מה שאין, להבליע חיוך קטן על האדישות התהומית של היקום, ומהנא לא אמר כלום, רק ליטף לי את הראש ונפרד ממני לשלום.

■ ■ ■

[למחרת]

אני נוסע עכשיו בטרנזיט הלבנה, בדרך הביתה מכלא שש, עם אותו מילואימניק פלגמט שגם הביא אותי לכאן.

יש לי המון דברים על הראש עכשיו, ההתרגשות מזה שאני הולך לפגוש את אמא בעוד שעה־שעתיים, והבאסה מזה שמחר על הבוקר אני צריך להתייצב שוב בבסיס בנגב לסבב אינסופי של שמירות ארוכות, אבל מה שהכי מטריד אותי כל הזמן זה מה לעשות עם החברה שלי טלי, או ליתר דיוק איך להגיד לה שאני רוצה להיפרד ממנה.

אני לא יודע אם שמת לב, אבל בחודש האחרון שאני כאן ובכל אלפי המכתבים שכתבתי לך מבית האסורים לא הזכרתי אותה אפילו פעם אחת ולא במקרה, זאת היא שלא כתבה לי כלום, לא יצרה קשר, לא הרימה טלפון, ואני נגנב מההתעלמות הזאת, כאילו החבר שלך, זה שכמעט הוציא אותך מבתולייך, יושב בקלבוש במרחק אווירי של עשרים קילומטר מהבית שלך בדניה ואת לא מסוגלת להגיד אפילו מילת עידוד אחת? איזה

מין בן אדם את? ואת עוד משחקת אותה אחת שתמיד רצה לעזור לחברות שלה, אחת שמאדימה מהתרגשות ומסמיקה מבושה על כל שטות, אבל בדברים החשובים בחיים את פתאום נאלמת דום?

אני לא יודע למה היא עשתה את זה, אני לא יודע מה בדיוק עבר לה בראש, כמו שאני מכיר אותה היא התפדחה לאללה מזה שהחבר שלה הוא, מי שישמע, אסיר עולם, או שאולי נגררה אחרי מסכת הסתות מצד האמא הפולנייה שלה שיעצה לה, מי יודע, לנתק את הקשר איתי, אין לי מושג ובעצם ממש גם לא אכפת לי, השורה התחתונה היא שהבחורה הצדקת הזאת התייחסה אלי כמו אפס בתקופה הכי קשה בחיים שלי, וזה לא בדיוק אומר שהיא מתה עלי בטירוף.

אני גם לא יודע עד כמה אני בעצמי אוהב אותה, כאילו ברור שחשבתי עליה המון בכל התקופה בכלא, התגעגעתי למגע שלה, לתום שלה, לרכות שלה, אבל אולי בעצם התגעגעתי לדברים אחרים לגמרי, לחופש בחוץ, לחיים באזרחות, לבתי הקפה על הכרמל, דברים שטלי היא רק במקרה חלק מהם, ובאותה מידה זאת היתה יכולה להיות כל בחורה אחרת, אפילו החצאית השמנה מהשלישות בבסיס.

■ ■ ■

[כעבור שעה]

אל תבין אותי לא נכון, אני כן אוהב אותה, אני משוגע על העיניים הירוקות שלה, אני נמס מהקול העדין והמתוק שלה, אני רק לא מצליח להבין למה היא עשתה לי את זה, למה היא זרקה אותי

לכלבים, איך היא יכולה לקרוא לעצמה חברה אחרי כל ההתנהגות
הזאת?

אני חייב לדבר איתה כדי לשמוע מה בדיוק קרה, ואולי רק אז
אחליט. מה לעשות?

■ ■ ■

[כעבור 20 דקות]

ואני גם מתגעגע בטירוף למהנא. אני לא מאמין שלא אישן לצדו
לעולם, שלא אתחבק איתו, שלא אשמע את הקול הגברי והחם
שלו. אני די סגור על עצמי שאני לא הומו, אבל אהבה כמו זאת לא
הרגשתי בחיים כלפי אף אחד בעולם, כלומר אולי חוץ מלאמא
שלי.

■ ■ ■

[כעבור ארבע שעות]

אמא. היה נפלא לפגוש אותה, אבל כבר אחרי החיבוק הראשון
הרגשתי שמשהו לא כל כך בסדר, הנשימה שלה היתה קצרה,
הזרועות המחבקות מעט רפויות, ואני שאלתי, קרה משהו, ואמא
אמרה, לא, כלום, לא משנה, אבל לפי המבט המושפל הבנתי מיד
שמשהו ממש לא בסדר והתחלתי לתחקר אותה, זה בגלל הכלא?
לא, ממש לא, היא שמחה מאוד לראות אותי בריא ושלם. משהו
בעבודה של אבא? לא, לא ולא, ואז היא התיישבה על כיסא
והתחילה לבכות ואמרה שהם משגעים אותה, הם פשוט מחרפנים

אותה, ואני אמרתי, אמא, תירגעי, תנשמי עמוק, הכל בסדר, מי משגע אותך, והיא התחילה לשפוך את הסיפור, שהיא ואבא שכרו עורך דין בעניין ההוא של הדודה רבקה, בשביל העניין העקרוני כמובן, ולא רק בגלל המאה וחמישים אלף שקל, ואז, אפילו לפני שהספיקה להגיש התנגדות לקיום צוואה, התקשרה אליה השקרנית הצבועה הזאת, סימה, ואמרה לאמא שאם ההורים שלי יעזו לתבוע מאה וחמישים אלף שקל מהעיזבון אז גם היא תגיש תביעה לאותו סכום בדיוק, בטענה, כך אמרה בטלפון, שאמא שלה הבטיחה רק לה את המאה וחמישים אלף האלה, ואם כבר מדברים על זה, אז גם אחותה נעימה, השמנה הזאת, בעלת אלף הסנטרים ואלף הפימות, תטען בדיוק אותו הדבר!

וברור לכולם שזה שקר, ברור לכולם שסימה ונעימה הן צמד אחיות קנאיות שתיככו את התככים האלה כבר לפני עשרים שנה, הן אלה שגרמו לביטול המתנה, ועכשיו, כמו כלב רוטוויילר זקן וזב ריר, הן מסרבות להרפות מהטרף ודורשות לעצמן את המאה וחמישים אלף שקל שהפכו את ההורים שלי למרוששים למחרת יום חתונתם...

אחרי שאמא סיימה לדבר רצתי להביא לה כוס מים, בחיים לא ראיתי אותה נסערת כל כך, היא נראתה כמו ילדה קטנה ולא כמו אישה בת חמישים פלוס, ועשיתי כל שביכולתי כדי להרגיע אותה ולשכנע אותה שזה רק כסף, שזה סיפור ישן נושן, שלא שווה לחטוף התקף לב בגלל השטות הזאת, אבל אמא אמרה שזה **פרינציפ**, שהיא לא תיתן לשתי האחיות האלה להרוס לה עוד פעם את כל התוכניות הכלכליות, היא לא תיתן למכשפות האלה להשפיל אותה ולדרוך עליה ולירוק עליה ולסטור לה בפרצוף, ואני אמרתי, אמא, בחיאת, את לא מגזימה קצת? זה בסך הכל סכסוך משפחתי קטן ולא ממש חדש, מה את מתחממת, אבל אמא אמרה

שהיא לא מצליחה לישון כבר שבועיים, מאז שקיבלה את שיחת הטלפון מסימה היא לא נרגעת מההתנהגות המרושעת הזאת, והיא מרחמת על אנשים שנצלים ככה טוב טוב ומכל צד כמו שיפוד באש הקנאה שלהם, כי הם הסובלים האמיתיים, כל ימיהם שחורים משחור, ונקמתה בהם בוא תבוא!

אמשיך לערכן.

שלך,
נדב

[כעבור שבוע]

שלום שלום נדב היקר והאהוב, וקודם כל דע לך שכאשר ניפגש (מן הסתם בקרוב, כעת כשאנו באותה ארץ ופחות או יותר אנשים חופשיים לדרכנו) אתה בהחלט מוזמן לחבק אותי חיבוק ארוך וגברי כמו שהתחבקת עם מהנא, בלי שאיש ירים גבה, ואם תרצה גם תוכל להשעין את זרועך על כתפי והדבר יתקבל בשיא הטבעיות! ומזל טוב על השחרור המוקדם מן הצפוי מחומות הכלא, היישר אל זרועותיה של השגרה על טרדותיה המבורכות. עמדת בתקופה הזאת בגבורה ואני גאה בך מאוד!

אך לעניינים האחרים שהעלית במכתבך, עלי להעיר בצער כי לא אוכל לפרש את מהות שתיקתה המוזרה של חברתך הביישנית, או לייעץ לך על הדרך הראויה להתמודד עם התככים המכוערים של צמד אחיות הרשע סימה ונעימה, משום שיותר ויותר מתברר לי, במלוא הכנות, שאין לי שום הבנה בטיבו ובטבעו של העולם הזה, באנרגיה שמפעילה אותו, בחוקים ובכללים הלא־כתובים שבו – הכל מוזר ומופלא ובלתי נהיר, ואני, זקן בן שישים, עומד מול כל אלה טיפש ומטופש!

שעה בשעה, למשל, אני מציץ מעבר לכתפי לראות אם אובזה ופוק, המדריכים הרוחָניים שלי, מביטים בי, אם הם שבעי רצון מדרכי, אם הם מתכוונים לחלוק איתי רמז או סימן לדרך הנכונה, ואני נושא את עינַי לשמים, אל מעופם של העננים, או בוהה בכוונה רבה בעשבים הנכנעים למרותה של רוח פתאומית, למצוא בין כל אלה את הצורות שצרים לי המלאכים והמדריכים, לכוון אותי בעולם שעל פשרו כלל לא עמדתי!

בכל אשמה כמובן האישה הדרום־אמריקאית המטורללת הזאת, שפנתה אלי בדיבור ובצחוק בבית קפה בשדרות רוטשילד בתל אביב,

ועכשיו מתראה איתי כמעט מדי יום בצחוק ובקרקוש שרשראות, ובאמתחתה כמויות סיטונאיות של צינגלה שהיא מעניקה לי חינם אין כסף.

כדי להסתיר את הניחוח המתקתק מנחיריהם של שכנים חטטנים, אוולין לוקחת אותי אל יערות ארצנו, אל מקומות שנהירים רק למכשפות בנות כשף כמוה וכמו חברותיה, עמקים נסתרים בגליל, סבכי אלון ואלה בהרי יהודה, ושם, לעת לילה, בין עצי חרוב עתיקים, היא מבעירה מדורה קטנה ביד בוטחת, זורה עלֵי מרווה מיובשים, ממלמלת לחשים מוזרים וחולקת איתי צינגלה אחרי צינגלה, והיער נשטף באינספור צבעים! צחוקים היסטריים של פוק, ותובנות מחשמלות של אובזה, ואחר כך מפגש זרתות ובהונות ולאחרונה, כן, גם עינוג ממוקד ותחום היטב של אזור הגב התחתון – פיגוע ארוטי שלא מן העולם הזה, ולבסוף שינה מתוקה, מחובקת, לקול פצפוץ הגחלים וקריאות האוח ויללות התנים!

בפעם האחרונה שבה התכרבלנו במפגשי המדורה המפויחים האלה, כשהעשן המתוק של הצינגלה ממלא את הריאות ומעין אושר נמנמני מציף את הראש, שאלה אותי אוולין, בצחוק קטן ובריי"ש מתגלגלת, על הגררררושה שלי, ולמה בעצם נפרדנו, והאם אנחנו בקשר, ואני אמרתי לה את האמת, שגרושתי ניתקה כל קשר איתי ולא מעוניינת לראות אותי ותעשה כל שביכולתה כדי שגם ילדינו ימשיכו להפנות לי עורף, וזאת למרות שנתתי לה כל מה שהיה לי, השארתי לה את הדירה, הסכמתי לדמי מזונות אסטרונומיים שרוששו אותי לחלוטין, והיא עדיין בשלה, זועפת, ממורמרת, מלאת טינה (אבל לפחות אני בקשר עם בן אחותה הנהדרררררר!).

אוולין אמרה, אתה רוצה להגיע לשם? ואני אמרתי, להגיע לאן? והיא אמרה, אל החיים הקודמים שבהם נפגשתם, ואני אמרתי, יש

דבר כזה? באמת? אנחנו יכולים? והיא אמרה, אם אתה מוכן אז כן, בוודאי, למה לא, רק תניח את הצינגלה בצד, זה לא בריא יותר מדי.

והיא ביקשה ממני, כמו בפעמים הקודמות, לעצום את העיניים ולהרפות את כפות הרגליים ואת העורף מן המתח היומיומי האצור בהם, והפעם הנשימות העמוקות ופלבולי העיניים כבר הגיעו מעצמם, כמעט בלא כל עידוד מצדה, והרגשתי כיצד נפתח השער אל העולם שמעבר לפטפוט האינסופי של המוח, אל הצלילות של הריק המוחלט.

אוולין אמרה, עכשיו אחורה, מיכאל, אתה יכול לנסוע במחשבה אחורה בזמן, אל זמנים אחרים, רחוקים, עוד לפני היום שבו נולדת, רחוק רחוק בזמן, אל חיים קודמים שבהם כבר פגשת את לאה גרושתך, ואני התחלתי לסובב את ראשי במעין ספירלה אינסופית, ועיגולים ירוקים וכחולים ריצדו מול עיני העצומות, כמו נפילה במנהרת זמן מפותלת, והנשימות נעשו עמוקות אפילו עוד יותר, והכל חשוך ולא ידוע ואוולין אומרת, היכן אתה, מה אתה רואה, ואני עונה בגילוי לב, אני לא רואה כלום, ואוולין שואלת, מה אתה נועל, הסתכל על כפות הרגליים, ואני אומר, אלה מגפיים של עובד כפיים.

כלומר, אתה גבר? שואלת אוולין.

כן, אני בחור צעיר, אני נמצא בכפר באנגליה.

ומה השנה?

שבע מאות ומשהו לספירה, זה כפר קטן, בתי עץ, אנחנו אנשי עמל, ולי יש ידיים טובות – ממש לא כמו בחיים האלה – יש לי גרזן וכלי ברזל ואני חוטב ומחשל.

ואוולין אומרת, יפה, טוב מאוד, עכשיו נתקדם בבקשה אל

מאורע חשוב בחיים הקודמים האלה, ואני מרגיש מין זצים כאלה בראש, כאילו המחשבה קופצת מעל משוכה גבוהה, ואני אומר, יש מוזיקה עליזה, כלי נשיפה, כל הכפר כאן, זאת החתונה שלי!

אוולין אומרת, מזל טוב, ברכותי, ומה עוד אתה רואה, ואני אומר, הו, זאת הכלה, לבושה בלבן, שמלה לבנה ופשוטה, צמודה מאוד, עם שרוולים מנופחים, ואוולין אומרת, התקרב אליה, הסתכל בעיניה, לפי העיניים תדע, מי היא? ואני מתקרב ורואה בחשכת עיני העצומות את העיניים הירוקות האהובות, את ההבעה הנעה בין תמימות לסרקסטיות, ואומר לאוולין, זאת לאה, זאת אשתי מהחיים האלה!

ואוולין אומרת, יפה מאוד, פגשנו את גרושתך, עכשיו בוא נמשיך הלאה, למאורע החשוב הבא בחיים האלה ונראה מה קרה לכם, ושוב הזצים המוזרים האלה בראש ותנועת הספירלה של הקודקוד והתמונה כהה ומעורפלת.

ראשון עולה הרגש, עצבות עמוקה, אבל, בכי, ואט אט נגלים הפרטים, אנחנו שנה אחרי החתונה והכלה היפהפייה מוטלת מתה על מיטתה, קפואה, שמלתה הלבנה הפכה לתכריכיה, העיניים הסרקסטיות ומלאות החיים נעצמו לעד, ואוולין אומרת אבל איך, איך זה קרה, ואני עונה בבכי ובצעקה, זה הברזל! הברזל של כלי המלאכה שלי הרעיל את המים והרעיל אותה, נספג לה בדם עד שמתה בייסורים, מתה ועכשיו היא איננה.

ומה קרה אחר כך, שואלת אוולין, אתה יכול בבקשה להתקדם בזמן, ואני עונה בזעקה, לא התחתנתי עם אישה אחרת אלא להפך, התאבלתי עליה עד יום מותי, לא נתתי לנשמתה ללכת, השתמשתי במגיה שחורה ובכשפים עתיקים כדי להכריח אותה להישאר איתי, ובמקום לרתום את ידי הזהב שלי לטובת אנשי הכפר העדפתי לשקוע במרה שחורה ולעזוב את העולם בעצמי, שנים לאחר מכן,

ערירי, מריר ומלא געגועים, ולצדי רק חתול שחור, צחור שפם, ועכשיו אני מת, הנשמה עולה מעלה מעלה.

ומה הנשמה אומרת לעצמה על החיים שחייתה, שואלת אוולין, ואני עונה, שטעיתי טעות טרגית בגלגול הזה, שקעתי ברגשות אשמה וצער במקום להשלים עם האסון שפקד אותנו, ואת האהבה הרבה שהיתה בי הרעפתי, במשורה, רק על החתול השחור בן ביתי.

את הדרך הביתה עשינו אותו לילה בשתיקה, אחרי שאוולין החזירה אותי ממצב הרגיעה ההיפנוטי אל הכאן ועכשיו. המחשבות לא הניחו לי. מילא לראות כוס זזה, אלה בטח האצבעות שלנו שהניעו אותה, ומילא לחוות את הלידה של עצמך – לא צריך הרבה דמיון בשביל זה. אבל הפעם ראיתי עולם שלם, מלא, של תקופה שכלל לא הכרתי, אנגליה של שבע מאות לספירה, כפר קטן, טרגדיה אנושית. יכולתי לתאר בפירוט את גרזן הברזל שאחזתי בו, לצייר את בקתות העץ של הכפר, לחוות באמת את העצבות התהומית, הכבדה, על מות אשתי הצעירה – אבל מאין לכל הרוחות הגיעו המראות והחזיונות האלה?

האם יכול להיות שהסיפור ביני ובין לאה, אלופת נעורי, נמשך כבר יותר מאלף שנה? האם יכול להיות שאני אמור ללמוד שיעור על צער ואהבה, שעד שלא אשלים אותו לא אתקדם? ומה הוא השיעור הזה בדיוק – שעלי ללמוד לשחרר? ולשם כך נפגשנו שוב כאן, בישראל, כדי להתאהב ולהיפרד, ולדעת להמשיך הלאה?

ביומיים הבאים הייתי פזור נפש ומוטרד כמו שלא הייתי מעולם, ידעתי שאני חייב לעשות משהו שאסור לי לעשות בתכלית האיסור, ונמלאתי מתח רק מהמחשבה עליו ואז חזרתי בי ושוב נמלכתי בדעתי, עד שלבסוף אזרתי אומץ ועשיתי אותו: ללא התראה מוקדמת וללא הודעה, נסעתי אל הבית שבו גידלתי את שני ילדי,

אל הדירה שכף רגלי לא דרכה בה במשך עשר השנים האחרונות, אל המקום שבו איזה ברנש בשם גיל מבלה כפי הנראה את לילותיו. הייתי חייב להגיד משהו לגברת בעלת העיניים הירוקות, זאת שרקדה איתי ביום חתונתנו בחיים האלה לצלילי השיר של פול אנקה, זאת שלא הפסקתי לאהוב אפילו יום אחד לאחר פרדתנו הסופית!

לאה היתה שם, ופתחה את הדלת, ולסתה נשמטה בתדהמה, הרי היה בינינו כלל לא כתוב שהעיר שבה היא גרה אסורה עלי לכניסה, ואני אמרתי, זה יהיה ביקור קצר, לאה, אני רק רוצה לשתף אותך במשהו, והיא אמרה בטינה, זה עוד חלק מהמסעות המופרכים והבזבזניים שאתה עובר עכשיו, ואני אמרתי, לא, בכלל לא, זה משהו אחר לגמרי, לאה.

היא הסתכלה עלי בהפתעה מהולה בגועל, ואני אמרתי בנשימה קצרה, אני הבנתי משהו על שנינו, לאה, אנחנו מכירים מחיים קודמים, ואת מתת בזרועותי, אני בכיתי, ראיתי את זה, אני מצטער כל כך שלא הנחתי לך לפרוש מן העולם, ואני מבין למה את כועסת, למה את סוחבת את המרירות הזאת עד היום.

לאה ניערה מגבת מטבח שהיתה מונחת על כתפה ונופפה בה כמו שמגרשים זבוב מציקני ואמרה בצעקות, תגיד לי, אתה השתגעת, יצאת מדעתך, ומה זה העיניים האדומות האלה, אתה על סמים או משהו?! ומישהו המהם מבפנים, אני בטוח שזה היה גבר, ואני בטח יודע איך קוראים לו, אחרי הכל כבר דיברתי פעם בטלפון עם החנטריש הזה!

מכל מקום עכשיו אני הוא זה שזקוק לעצה שלך, אני הטירון חסר האונים שמצא את עצמו בהתקף של הלם, אני השוקיסט, אני הפעור, אני מחפש ממך עידוד ומילה טובה וקרקע יציבה, אני צריך

שתגיד לי, נדב, שאני רואה דברים מהרהורי לבי, שאין דבר כזה
גלגולים ונשמות וחיים קודמים וקארמה, תגיד לי שכל הניו-אייג'
הזה הוא חארטה בארטה, ובבקשה, בהזדמנות הקרובה, אני צריך
חיבוק גברי פשוט וחם.

שלך, באהבה,
מיכאל

[כעבור שבוע]

מי־כ־אל,

אני אגיד את זה קצר ואני אגיד את זה פשוט: אתה מפסיק מיד, אבל מיד, להיפגש עם האישה המשוגעת הזאת!!!

כאילו, על מכתב אחד חרקתי שיניים ועברתי בשתיקה, מכתב שני עוד ספגתי איכשהו, בקושי, בלי להתפרץ, אבל עכשיו אני כבר לא יכול יותר, באמת, מיכאל, הקטע הזה שהלכת לדודה לאה כמו נרקומן, ולפי מה שהיא מספרת לכל מי שרק מוכן לשמוע, התחלת לדבר איתה על זיונים ולדבריה גם חשפת לפניה איברים מוצנעים בגופך והתחלת לגפף אותה מימין ומשמאל – זה כבר הדליק אצלי אלף נורות אדומות ואני חייב להתערב ולהורות לך באופן שלא משתמע לשתי פנים **לנתק מיד כל מגע עם האישה המסוכנת והמטורללת הזאת אוולין**.

אתה לא רואה שהיא מחרפנת אותך לגמרי?! היא נשמעת לי כמו איזה נוכלת או משהו כזה, לא ברור לי מה היא באמת רוצה ממך אחרי שהתחילה איתך בנונשלנטיות באמצע תל אביב, ותגיד לי עם יד על הלב – היא סוחטת ממך כספים? היא החתימה אותך על משהו? בכל המדיטציות וההיפנוזות האלה, שמת לב במקרה אם היא מנסה להעביר על שמה את הדירה שלך בפתח תקוה או חלק מהירושה המפונפנת שירדה עליך משמים? מה קורה שם? ומה נכנס לך לראש? נניח שאתה באמת מסוחרר מאהבה לנקבה דרום־אמריקאית אחרי עשר שנים של יובש, אתה באמת חושב שגברת אוולין עם הצחוק הפרוע שלה והמניפולציות של תנשום־עמוק־ותעצום־עיניים, אתה באמת מאמין שהיא מסוגלת להחזיר אותך אחורה בזמן לראות את עצמך מתחתן עם דודה לאה במאה השמינית לספירה?! ואתה באמת חושב שיש טעם לחפור

בשטויות האלה? מה הדבר הבא, תתחבר לאיזו כת או שתתחיל "לתקשר" עם המלאך גבריאל? ירדת לגמרי מהפסים? לא ביקשתי שתהיה מבוגר אחראי, מהמכתב הראשון ממך לא ציפיתי לזה, רק שתתנהג קצת באחריות, יש לך שני ילדים בוגרים למען השם!

תסלח לי על ההתפרצות, אבל כל המשפחה נסערת מהסיפור הזה. ההורים שלי החליטו באופן סופי שירדת מהפסים, שעם כל הכסף מהירושה הבלתי צפויה הידרדרת לסמים קשים, קוקאין, הרואין, הזרקות, הסנפות, עניינים, ודודה לאה נשבעה ביקר לה – וזה שבר אותנו הכי בעולם – שאתה, שהיית הולך תמיד עם גופייה מרוטה ותחתוני סבא, מסתובב עכשיו עם פס בלונדיני בשיער, חולצות הוואי ורודות וחוטיני אדום!!!

אני בינתיים בחזרה בבסיס שלי אי־שם בדרום, ולא, לא הייתי מגדיר את מצבי כמי שנמצא עכשיו ב"חופש", כי זה בדיוק להפך, מיכאל, המצב שלי היום הרבה יותר גרוע ממה שהיה לפני שנכנסתי לכלא, כי בינתיים, בזמן שגרבצתי בעמדת השמירה מול הר האושר, שלומי ש' האחול־מאניוק קיבל מהמב"ס עוד יותר סמכויות ועוד יותר כוח, והוא מסתובב ברחבי הבסיס כמו איזה אבו־ענתר עם נבוט דמיוני שהוא הולך להוריד לכל הרב"טים על הראש, והחדשות העוד יותר גרועות הן שאחרי שהורדתי לו אגרוף על הפרצוף ושברתי לו את האף, הוא מחפש דרכים עוד יותר נועזות ועוד יותר יצירתיות לאמלל אותי, והדבר הראשון שהוא עשה היה להודיע לי דרך איזה קאפו מגעיל שהוא מעסיק בבסיס, שהיציאות שלי הביתה יהיו מעכשיו פעם בשלושה שבועות במקום פעם בשבועיים!

שלושה שבועות, אתה קולט את הקטע המסריח הזה? הוא יודע כמה אני לחצ"ב, כמה אני חייב להתחבק עם המאמושקה שלי, כמה

שאין דבר שיותר חסר לי בצבא מאשר החדר שלי עם הסדינים האזרחיים והמזרון האזרחי והמקלחת האזרחית, אז הוא בא בהפוכה ומסדר לי שדווקא לא אקבל את זה, אתה מבין את הקטע? הבן אדם מחפש לטחון אותי כמה שיותר, מה שהביא אותי מהר מאוד למסקנה שאני חייב לעשות משהו, ואחרי כמה גישושים לא פורמליים עם איזו חצאית בשלישות שהסכימה לעזור לי בחפץ לב (נראתה לי דווקא חמודה, בלונדינית עם חיוך תמידי, שגדלה באמריקה והגיעה לשנת שירות היישר מניו ג׳רזי) הבנתי שצריך למלא טופס ט׳55 עם מכתב מנוסח כמה שיותר ברמה גבוהה ולבקש העברה מהבסיס בגלל שתי מילות הקסם האלה, ״חוסר התאמה״.

אין לך מושג, מיכאל, כמה תקוות תליתי בטופס הזה, בחיים שלי לא חשבתי שאני אהיה כל כך קשור נפשית לחתיכת נייר עם הלוגו של צה״ל, פשוט נישקתי אותו כמה פעמים, עשיתי חמסה וכתבתי את המכתב הבא:

סודי ביותר / דחוף מאוד

לכבוד מפקד הבסיס הנכבד,

התגייסתי לצה״ל לפני חצי שנה מתוך מוטיבציה לשרת את הצבא ואת המולדת ולסייע לה במלחמתה באויבינו הרבים, אך לצערי שובצתי בתפקיד שוחק ורוטיני של שמירות מסביב לשעון בבסיס, בלא לתרום שום דבר מעבר לכך.

אני מבין כמובן עד כמה איוש עמדות תצפית וביצוע פטרולים ליליים הנם חיוניים לתפקודו התקין של הצבא ולהגנה על אזרחי המדינה, אך להרגשתי הצנועה, אם יותר לי להביע, אין במסכת השמירות כדי לאפשר לי לתרום לצה״ל את מלוא הפוטנציאל שלי כאדם וכלוחם.

בנוסף לכך, לצערי הרב, במהלך תקופת שירותי הקצרה בבסיס הנ"ל התגלעה מחלוקת מסוימת ביני לבין אחד הקצינים הזוטרים בבסיס, הנוטה מעצם טבעו לתוקפנות בלתי ניתנת לשליטה, מחלוקת שאף הידרדרה, לצערי הרב ולמרות נטייתי הטבעית לפתרון סכסוכים בדרכי שלום, לכדי חילופי מהלומות.

לנוכח תמונה מצערת זאת, ברי כי קיים חוסר התאמה בתפקידי בבסיס, ואני מבקש בכל לשון של בקשה להעביר אותי בהקדם האפשרי לבסיס אחר, כדי לא לסבול יותר מרודנותו של הנ"ל.

אין צורך לומר כי המוטיבציה שלי לשרת את צה"ל ואת המולדת היתה ועודנה גבוהה מאוד, ואשמח למלא כל תפקיד נדרש בכל בסיס שהוא, בכל מקום בארץ, העיקר, אם אפשר, להיות כמה שיותר רחוק מהאישיות הגבולית הנ"ל.

אודה לך מאוד על שמירת החיסיון של בקשה זאת ומכתב זה, מטעמים ברורים ומחשש להתנכלות.

בתקווה כי בקשתי תיענה ברצון ולא תיפול על אוזניים ערלות,

נדב א'

הייתי מה־זה מבסוט מהמכתב, בקטע של גם יצאתי אינטליגנט וגם הכנסתי לשלומי בין השורות, ונתתי את כל החבילה לחצאית האמריקאית מהשלישות, שבדיוק יישרה את הבלונד ובחנה את הליפסטיק במראת פלסטיק אליפטית, ויומיים תמימים הלכתי בבסיס עם חיוך מאוזן לאוזן, כשאני מפנטז על הקריה בתל אביב, על הג'ובניקים שמנקים את התחת בניירות הטואלט הרכים של האזרחות, שמעשנים גראס בלילה ומתייצבים כאילו כלום למסדר

ביום, וכבר התחלתי להאמין שזה קורה, שמעבירים אותי, וכל רגע היה נדמה לי שאו־טו־טו קוראים לי להזדכות על הציוד, למלא טופס טיולים ולעוף מכאן לבקו"ם או לצריפין או אפילו לבסיס קל"ב בירושלים, הכל הולך, הכל מתאים, רק לא לסבול את הרודנות והנקמנות של שלומי המטורף, וכשעבר קצת זמן ולא שמעתי מהם כלום נכנסתי לשלישות לשאול מה קורה והחצאית אמרה לי מיד בחיוך קטן נוטף בלונד, אני מצטערת, נדב, אבל שלומי לא אישר, ואני בקטע של, מה זאת אומרת שלומי, והיא אמרה, כל החיילים בשמירות כפופים לשלומי והוא מחליט מה יהיה איתם והוא לא אישר, ואני בקטע של, את ידעת את זה?! את ידעת ששלומי קורא את המכתבים? והיא אומרת, ברור, ואני צועק עליה, אז למה לא אמרת לי כלום, את נורמלית?! והטלפון בדיוק מצלצל והיא אומרת לי, תמתין בבקשה, ומרימה את השפופרת ואומרת בקול הכי מתוק בעולם, שלישות שלום, איך אפשר לעזור?

אני לא יכול לסיים את המכתב הזה בלי לספר לך על כל מה שקרה לי עם טלי אחרי שחזרתי מהכלא. החלטתי ביני לבין עצמי שאני לא עושה כלום, לא מתקשר אליה, לא יוזם שיחה, רק מחכה לראות כמה זמן ייקח לגברת להסביר ולתרץ לי למה היא נעלמה לי מן האופק בתקופה שהכי הייתי צריך בעולם יד נשית מלטפת שתרגיע אותי ותעודד אותי ותנחם אותי.

על ההתחלה ראיתי שהיא בכלל לא נמצאת בבסיס, וזה היה קצת מוזר, ועדיין לא עשיתי כלום, אבל אחרי שעברו כמה ימים החלטתי להתקשר אליה לראות מה קורה, כי התחלתי להתגעגע אליה וגם נעשיתי חרמן לאללה (כמה אפשר לעשות ביד אחרי 27 ימים בפנים), ואיך שהיא ענתה וזיהתה את הקול שלי היא התחילה לבכות, והקו היה באיכות לא כל כך טובה, היא נשמעה כל כך

רחוקה וכל כך אומללה וממש בקושי, מעבר לדמעות, דרך הקו הנייד, הצלחתי לזהות רסיסי מילים ומשפטים שהיה איזה עניין בריאותי, מחלה, משהו עם עצם הזנב, ואני אומר, מה, מי, והיא אומרת, היא (אמא שלה?) שברה את עצם הזנב ומרותקת למיטה ולא יכולה לזוז משם, זה קטע מטורף כי זאת עצם שאי אפשר בכלל לגבס או להגיע אליה, צריך רק לשכב בלי לזוז במשך חודשיים שלושה עד שזה יתאחה, וטלי קיבלה חופשה ארוכה מהצבא כדי לסעוד אותה, ואני שוב מתמלא חמלה וחסד לבחורה הנפלאה הזאת, שכל כולה עזרה ואהבה להוריה, ואז אני אומר לה, ד"ש לאמא שלך, ומעבר לקו שוב השתנקויות מוזרות, אתה לא הבנת, זאת לא אמא שלי, זה קרה לשכנה, היא בת ארבעים, זקנה כזאת, ורווקה, ולא היה לי לב, ואני אומר לה, אוקיי, כל הכבוד, ומנתק את השיחה, ומתרגל קצת דיבור עצמי, מה אני בעצם מרגיש עכשיו, כאילו, הרגש הממלכתי מוחא כפיים, מגיש תעודת הצטיינות ואומר, כל הכבוד לך על ההתגייסות, באמת, אבל הזעם מציף אותי מלמטה, כמו נחשול חום ופראי של מי מערבולות מעורבבים בבוץ וסחי, **למה העדפת לטפל בשכנה במקום לדאוג לי, יא חתיכת פוסטמה מטומטמת?!** ואז אני מרגיע את עצמי, מה היא היתה יכולה לעשות, הרי אפילו לבקר אותי לא נתנו, אבל אז שוב הצפה מלאת בוץ וגועל, **היית יכולה לפחות לשלוח מכתב, זונה, אחרי שניגבת את התחת לשכנה המפגרת! כמה זמן זה היה לוקח לך?!**

ואחר כך אני שוב נרגע, ושוב מתחמם, ואחרי זה גלי הזעם שוככים והשכל הישר נכנס לתמונה, ואני מתלבט עם עצמי מה לעשות עם הגברת הזאת, מצד אחד בא לי לזרוק אותה לכל הרוחות, ומצד שני, בהיכרותי עם המשתמש, אני יודע שיש לה נטיות לרצות את הזולת ולעשות מה שאחרים דורשים ממנה ולא מה שהיא רוצה באמת, ומצד שלישי, האם זאת הבחורה שאני רוצה

שתהיה החברה שלי, מין פראיירית שלא יודעת לומר לא ושאין לה חוט שדרה?

ברגע שתפתור את הבעיות שיש לך עם נשים, אשמח מאוד לדעת מה אתה חושב על הבעיות שיש לי איתן. קשה להבין את היצורות האלה, קשה להיכנס לראש שלהן. מה לעשות?

שלך,
נדב

[כעבור שבוע]

שלום שלום נדבי׳לה היקר והחמוד שלי, קראתי בעיון רב ובמלוא הרצינות הראויה את התוכחות שהטחת בי בדבר אוולין, הנקבה החדשה בחיי כפי שאתה מכנה אותה, ואתה בהחלט יכול להסיר כל דאגה מלבך, היא לא מחפשת כסף, זה הדבר האחרון שמעניין אותה בחיים האלה, היא רק מחפשת לצחוק ולשחרר ולעשן צינגלה והיא עושה לי טוב ובקרוב מאוד, כך נרמז לי, אולי היא גם תסכים להרחיב את חיפושינו הפיזיים אל הגועל־נפש עצמו, ואני כולי דרוך ומצפה לכך בכיליון עיניים!

ומילה קצרה על גרושתי, ובכך אסיים ברשותך את הסאגה הזאת: הבעיה העיקרית שלה היתה מאז ומתמיד חוסר יכולתה להבחין בין עיקר לטפל בחיים, והרי החשוב הוא היופי, השמחה, ההתפעלות והפליאה מכל דקה ודקה בחיינו ולא העיסוק האינסופי בהיעלבויות או בתכנון תוכניות משמימות.

במקום לראות בהתלהבות אין קץ את הגבר של חייה, אבי ילדיה, מלא בתובנות חדשות על טיב היחסים איתה, היא מזועזעת עד עמקי נשמתה מצבע התחתונים שלי (אגב, לא אדום ולא חוטיני, זאת הגזמה פראית, אם כי אני מודה שטעמי בבגדים השתנה מעט, לצבעים יותר עזים ולגזרות יותר מחטבות), בדיוק כפי שבמקום לשמוח על שני בנינו, שגדלו להיות בחורים מצוינים ומוכשרים, האחד לומד באוניברסיטה בסן פרנסיסקו והאחר עובד בבנק בלונדון, היא עמלה שנים על גבי שנים למסוך באוזניהם ארס ומררה ולהרעיל את נפשם כך שהם שונאים בכל נפשם את אביהם־מולידם, ואני רק מקווה בשביל הנפש הזאת, מלאת הכעס והטינה, שבמהלך עשר־עשרים־שלושים השנים שנותרו לה לחיות עד שתרד אלי קבר, היא תמצא את הדרך

הנכונה לתיקון דרכיה, ותשחרר מתוכה את הבחורה המקסימה וירוקת העיניים, קלת הדעת וכלילת המעלות, שאיתה, פעם, לפני עידן ועידנים, ברוב פאר והדר, לצלילי שירו של פול אנקה, התחתנתי!

ובינתיים, מסעות הגראס עם אוולין ביערות ארצנו ממשיכים במלוא עוזם, אלא שאת החורשים הסבוכים החלפנו בפרדסים ירוקים ומאובקים שפעם כיסו את כל גבעות השרון והיום כבר כמעט נעלמו ואינם, אם כי פה ושם אפשר למצוא אותם, שרידים ביישניים, נטושים או נכלמים, לאורך הירקון העכור והמזוהם, וליד פתח תקוה מוכת הכיעור ורחובות ורעננה.

אני מביא שמיכת פיקה דקה ובקבוק יין ואוולין קצת נרות וקטורת ושמני עיסוי וחומר לעשן, ואנחנו נכנסים יחדיו, חבוקים, יד ביד, אל הפרדס, שנמצא לרוב בקצהו של אזור תעשייה שורץ מוסכים וחברות הייטק, ולצדו עמודי חשמל של מתח גבוה או איזו אנטנה סלולרית אימתנית.

אוולין ואני מתעלמים מכל אלה, בתוך חמישה או עשרה צעדים אנחנו כבר שם, בין עצים ירוקי עלים הנטועים שורות שורות, ועל ענפיהם לימונים ותפוזים ואשכוליות, לעתים מעלי רקב ולעתים נושאי ניחוחות רעננות, והכל סמיך וראשוני ומסתורי, ואנו ממשיכים פנימה והלאה, אל עומק הפרדס, אל אותם מקומות שכפי הנראה כבר ננטשו בידי בעלי הקרקע ועתה העצים גדלים בהם פרא, ענפיהם חובקים אלה את אלה, יוצרים חופה של עלים וריח מתוק של פריחה ושל רקב.

אוולין נשכבת על שמיכת הפיקה, מסירה את חולצתה ואומרת, בוא, מיכאל, והנה היא מתמסרת לי בנשיקותיה הטובות והאוהבות, ומנחה ומדריכה אותי בצחוקה הפעמוני והמתגלגל כי את מעשה

הנישוק יש לעשות מתוך חיקוי של הטבע, מתוך התמסרות מלאה,
אצילות ונדיבות.

בתחילה היא מרפרפת על שפתי כמעשה הדבורה באשכול
פרחים וצוף, אחר כך היא מגששת מסביב לפה כנברן העמל לחפור
את מאורתו, ומגלגלת את לשונה בפנים כמו קפיצת דולפין שובב
בלב האוקיינוס, ומחדירה אותה פנימה כמעשה האריה בשיגול
הלביאה, ואני אוחז בשערה השחור, המתולתל, וטובע בין שדיה,
בפרדס נטוש, פראי, שעציו הטובים מסוככים עלינו מכל עבר.

אני מבקש ממנה, ממש מתחנן, שתביא אותי בשעריה, לא אלה
שופעי המתיקות שבין ירכיה, שאליהם טרם באתי, אלא השערים
המסתוריים שמעולם, בשישים שנות קיומי על האדמה הזאת, לא
שיערתי ולא ידעתי על קיומם, השערים אל חזיונות ומראות באותו
ראינוע דמיוני שבוראת לי הנפש – אין לדעת ממה, מזיכרונות
חיים קודמים? מחלומות? מנבכי המוח? אולי "מותה" של "לאה"
כפי שראיתי בדמיוני הוא משאלה מודחקת שלי מהחיים האלה,
זעקתו של התת־מודע להיפרד כבר, להתנתק מזרועותיה של אישה
שכבר איננה אוהבת אותי, לשלוח ולשלח את האם עם הבנים,
להפנות את גבי וללכת משם, אבל אוולין מאמינה כי אלה הם
ב**אמת** חיים קודמים, שיעורים של הנפש שנשכחו במכוון מיד עם
לידתנו, אבל על כל צעד ושעל הם פורטים על מיתרי הרגש בלי
שנבין על שום מה.

כשאני מבקש ממנה, היא צוחקת שוב את צחוקה ושוב מרצינה
ואומרת, מיכאלצ'וק, מסעות תכופים מדי אינם רצויים, לא תמיד
צריך לצלול אל עומק המים האפלים. ואני אומר, רק עוד פעם
אחת, במחילה, רק לפגוש אותו, את האיש הנורא מכל, מקור
הסמכות והיראה, לדעת מה פשר המחלוקת הבלתי פתורה של חיי,
ואוולין אומרת, קח צינגלה, תירגע, קלף לך קלמנטינה, ואף רומזת

כי הלילה, כאן, בין העפאים ועלי ההדרים, תעניק לי מחסדיה, ואני עונה לה, קודם לכן, אוולין, בבקשה, אל המסע, לצאת שוב אל המסע.

היא נעתרת לי אחרי תחנונים רבים, ומרצינה מאוד, מסירה את השרשראות הקרקשניות שלה, ומבקשת ממני לעצום את עיני, ובקול שהופך להיות עמום יותר ויותר מנחה אותי להעמיק את נשימותי ולהרפות את השרירים, שוב להרגיש את כפות הרגליים קלות, קלות מאוד, וצחוק פרוע עולה בי, ואוולין אומרת בעליזות, שלום, פוק, ברוך שובך, טוב לדעת שאתה איתנו, ואני שואל, אובזה, גם את כאן, אך איש לא עונה.

אוולין אומרת, היא תתגלה אם תרגיש צורך לעשות זאת אבל אני בטוחה שהיא איתנו, ועכשיו חזור אחורה בזמן, אל הימים שלפני שנולדת, אל התקופה שבה פגשת את משה, את אביך, ועיגולים הולכים וגדלים הומים בעיני העצומות, כחולים וירוקים, מתעגלים ומתגדלים לספירלות ענק, ותחושה מוזרה של נפילה עמוקה, אחורה, אחורה בזמן, עולה בי, ואני אומר לאוולין, הפעם זה ממש רחוק, לפני המון המון שנים, והקודקוד מסתובב על צירו ואוולין אומרת, מה אתה רואה, ואני אומר, רגע, עוד לא הגעתי, והנפילה נמשכת ונמשכת עד שלבסוף העיגולים הופכים לנקודות קטנות שנעלמות בתורן ועלטה סמיכה מקיפה את הכל ואני אומר לה, הגעתי, אבל אין לי מושג לאיזו תקופה היסטורית.

אוולין שואלת, איפה אתה, ואני אומר, אני לא יודע, אני חושב שבמערה, ופתאום, בהבנה פתאומית, אני קורא, אלוהים אדירים, חזרתי ממש אחורה בזמן – אני עכשיו בתקופת האדם הקדמון, ואוולין שואלת, יש מישהו איתך, אתה רואה שם עוד מישהו, ואני אומר בביטחון, כולם הלכו, כל השבט הלך, אני לבד במערה, אני – בחורה צעירה, רגליים נאות, שיער ארוך, ואז עולה בי עצב עמוק

משום שאני שם, מרחק אלפי קילומטרים ועשרות אלפי שנים מהפרדס המאובק שליד פתח תקוה, בתוך מערה, ובחיקי תינוק, אבל התינוק לא נושם, אני אומר לאוולין ובכי מר קורע את נימי נשמתי, התינוק מת כבר כמה שעות, והוא בסך הכל בן חודשיים או שלושה.

בעיני העצומות אני מגשש אחר ידה של אוולין, לופת אותה בדמעות, כי כשגברי השבט יחזרו ממסעות הציד שלהם ויגלו את התינוק המת שלי, הם יחשבו שאני מכשפה, שהרגתי אותו במעשי לחש, הם ירוצצו את הגולגולת שלי באלות שלהם.

מה את עושה בינתיים, שואלת אוולין בקול רגוע ומגניבה נשיקה על לחיי, ואני אומר, לא עושָׂה כלום, רק מחבקת את התינוק המת בזרועותי, את הגופה החמה עדיין שעוד מעט כבר תתקרר ואז תתחיל להירקב ולהבאיש, אבל אני מקווה ומתפללת שבדרך נס כלשהי התינוק יחזור לינוק משדי, ובינתיים אני ספונה בתוך המערה ומחכה לגברים, וביניהם, בראשם, **אני רואה אותו**, את האיש הנורא מן החיים האלה, את אבי מולידי בגלגול הזה, ראש השבט בחיים ההם, מתברר שאנו מכירים כבר יותר מחמישים אלף שנה, ובעוד יום או יומיים הוא יגיע וגורלי ייחרץ בידיו.

גופי מתחיל לרעוד, לרעוד פיזית על שמיכת הפיקה בפרדס, ואוולין שואלת בלחש, מה קרה לךְ אחר כך, ילדה? והעיגולים מתרוצצים מול עיני, ימים חולפים, קור, מערה חשוכה, והנה הם מגיעים, כל אנשי השבט, ומיד מבחינים בגופת התינוק המת וראש השבט קורא לי למעין חקירה, משפט שדה, ואני מסבירה להם בדמעות שהוא מת, מת בשנתו, כך פתאום, ללא הסבר, והגברים שוקלים ביניהם מה לעשות, ואבא מביט בי בעיניו, עיניו הירוקות־שחורות מן החיים האלה, שתמיד העבירו בי צמרמורת בל תשוער בכל פעם שהבטתי בו, אבא, שהיה בשבילי מקור של יראה

ופחד, שאין לִקרב אליו מפחד זעמו ונחת זרועו, וראש השבט פוסק כי לא מעשה כישוף היה זה אלא רצונם של הטוטמים או שדי היער, והם עורכים במהירות מעגל אבנים ומבעירים בפנים מדורה ואני מוסרת להם את גופת התינוק הצמוקה והם שורפים אותה, ואת השלד המפויח קוברים, ואיש לעולם לא שב לשאול אותי על פשר המעשייה המקוללת.

הכל מאחוריך עכשיו, אומרת אוולין ומנגבת את דמעותי על שמיכת הפיקה באמצע הפרדס, הכל כבר קרה, תם ונשלם, וכבר איננו חלק מהחיים האלה, ועכשיו עבור בבקשה אל סופם, אל קצו של הגלגול ההוא, מה אתה רואה, מיכאל.

עלטה סובבת אותי מכל עבר, ימים חולפים, שבועות ושנים, ואני שומעת קול, קול שירה עליזה, אלה חברי השבט המקיפים אותי במעגל, בתופים ובמחולות, ענודים כולם נוצות הדורות לקישוט, ואני רועדת, לא מקור אלא ממחלה, המחלה שתביא עלי את מותי, ואני אומרת בגאווה לאוולין, בשבט שלנו, כשאדם נוטה למות, לא נותנים לו להיזרק לאיזה חדר עלוב בבית חולים קר ומנוכר כמו בזמנים המודרניים, בחברה שלכם.

אצלנו כל חברי השבט מקיפים את הגוסס במעגל ושרים שירי עידוד ושמחה לנשמה, על השחרור המיוחל מכלא הגוף, ומן השירה הנפלאה והחום והאהבה המקיפים אותי אני רואה אותה, את הנשמה, עולה מן הגוף ומשתחררת ועפה למעלה, אל מחוזות הטוהר הלבן של הנצח המתוק, ואוולין שואלת, מה למדת, מה למדת מן החיים האלה, ואני עונה לה, למדתי לסמוך על השבט, על חוכמתו של השבט, על שיקול דעתו של השבט, אין כל תכלית או משמעות לחיינו מחוץ לשבט, ואני אסירת תודה לראש השבט שהסכים לקבל אותי על אף הקללה שבה קוללתי, ואסירת תודה לשבט שאימץ אותי בחום אל חיקו, אף שלא היו לי צאצאים

נוספים, אף גבר לא שכב איתי יותר, ובכל זאת אני אסירת תודה
ממעמקי לבי, לנצח אסירת תודה לשבט.

כל הדברים המוזרים האלה קרו אמש ואני עדיין נסער ומבולבל
מהם, אבל אני כבר יודע מה עלי לעשות תכף ומיד – לנסוע ללא
שיהוי אל בית האבות לחולים סיעודיים ביפו, היכן שהזקן בן
התשעים חוסה לבדו כבר עשר שנים, כמעט באין מבקר. קצת נימוס
והדרת כבוד, וקצת כיבוד אב, לכל הרוחות, אחרי הכל אנחנו
מכירים זה את זה כבר יותר מחמישים אלף שנה.

בדמעות אשמה וחרטה,
שלך,
מיכאל

[כעבור חודש וחצי]

לאדם הקדמון שלום,

קודם כל, אני כמובן משתתף בצערך על כל הטרגדיות (הדמיוניות או האמיתיות) שאתה עובר בימים האחרונים. זה בטח לא קל לראות את עצמך מאבד תינוק וזה די נורא לחוות את הגסיסה ואת המוות שלך, ואת המעבר לעולם של נשמות שכולו טוב.

אני באמת זורם איתך ומנסה להיכנס לראש שלך, מיכאל, רק תרשה לי בבקשה לשאול אותך שאלה אחת פשוטה מאוד שקצת לא מסתדרת לי בעולם הנשמות מבית היוצר של אוולין ידידתך: אם כל כך טוב שם, באיזה עולם לבן של טוהר ושל תמימות שבו כל הנשמות מתפננות להן אחרי המוות ולפני הלידה, אז למה לכל הרוחות הן מתעקשות להתגלגל כל פעם מחדש אל כל החרא בעולם שלנו? ואם הן כבר מתגלגלות בפליק־פלאק לאחור אל תוך הרחם ונולדות בתור בני אדם, מה הטעם בזה אם הן במילא שוכחות לגמרי את כל החרא מהחיים הקודמים? אתה לא שם לב שאין פה שום היגיון? ואל תגיד לי את השטויות המעצבנות של הניו־אייג', שגלגול הנשמות נועד ללמד אותנו איזה שיעור או להשלים איזו קארמה, כי זה לגמרי מביא לי את הנרווים – כאילו, איזה שיעור לעזאזל הנשמה שלי אמורה ללמוד מהמנוול, החולה־נפש, הפסיכופת, הסאדיסט, הנאצי שלומי ש'??!!! בשביל זה נולדתי?! בשביל זה הנשמה שלי עשתה את כל הדרך מעולם שכולו טוב, היישר אל הנגב, היישר אל הבוטקה, היישר אל שלומי ששולח אלי את הקאפואים שלו לבלוש אחרי ולזיין אותי בתחת עם עוד ועוד תלונות? הא?!

תסלח לי שאני עצבני, פשוט הייתי צריך לבלות את כל השבועות
האחרונים בקרבות בלתי נגמרים עם היצור האובססיבי החולה-נפש
הזה, שכל הזמן שולח לי את עושי דברו שידפקו לי תלונות
ועונשים מציקניים כאלה של שעות ביציאה או קנסות או החתמות
בלילה, וכאילו, אם הוא היה מספיק גבר לבוא ולהגיד לי שהוא
כועס עלי, שהוא שונא אותי, שהאף המכוער שלו עדיין כואב
מהבומבה שהחטפתי לו, אז מילא, אבל השפן הנקניק הדפוק בשכל
הזה מתחבא במשרדי המב"ס כמו הקוסם מארץ עוץ מאחורי
הווילון השחור והגדול שלו, ומעיף עלי כל הזמן את החרא הזה עד
שבא לי לצרוח, בא לי לברוח, בא לי עוד פעם להתאבד, אבל אני
לא אעשה את זה בחיים שלי, אני לא רוצה לתת לו את העונג
הזה!!!

אז בסוף החלטתי להיות יותר חכם מהמאניוק הקטן וטמנתי
לו פח, כאילו, בכוונה הלכתי למשרד המב"ס עם הנייד שלי
פתוח על הקלטה ובכוונה ביקשתי לדבר איתו ובכוונה נכנסתי
פנימה אל הלשכה המכובדת של המפגר הזה בלי לקבל רשות,
ואז שלומי אמר, חייל, צא החוצה, ואני אמרתי בקול הכי מעצבן,
בשלווה, אני רוצה לבקש דבר מה, ושלומי אמר, לא עכשיו,
חייל! ויכולתי לראות על הפרצוף שלו שהוא מתאפק לא להוריד
עלי סטירה, ואני אמרתי, רק רציתי להודות לך על כל היחס
הטוב שאתה מרעיף עלי, המפקד, ושלומי אמר שתי מילים, שתי
מילים שעפו מהפה המסריח שלו ישר אל מכשיר ההקלטה שלי,
ואז ישבתי וכתבתי את המכתב הבא – מה לעשות, שלומי'לה
פשוט ביקש, מה זה ביקש, התחנן, לקבל את זה, והנה מה שיצא
תחת ידי:

לכבוד: נציב קבילות חיילים תל אביב

הנדון: קבילה על יחס לא הולם והתנהגות שאינה הולמת קצין

פירוט הקבילה:

שמי נדב א׳ ואני רב״ט בבסיס צ׳ בפיקודו הישיר של שלומי ש׳.

למרבה הצער, שלומי הנ״ל עושה במשך ששת החודשים האחרונים כל שביכולתו כדי למרר את חיי, בין היתר בהצקות, הטרדות, איומים, ניבולי פה, שהגיעו לשיאם היום (יום הגשת הקבילה) כשפנה אלי במילים: **״לך תזדיין״**.

לתומי חשבתי שהגינות, נימוס ושמירה על סטנדרט מינימלי של התנהגות הנם מרכיבים הכרחיים בהתנהגותם של קצינים, אך כשאותם קצינים מתגלים, למרבה הצער, כמהירי חמה, מנבלי פה ובעלי כושר שיפוט לקוי, המצב חמור באמת.

אני קובל בזאת על יחס לא הולם והתנהגות שאיננה הולמת קצין, לטיפולכם המקצועי והיסודי. מכיוון שאני עדיין חייל תחת פיקודו של שלומי ש׳, ומכיוון ששלומי ש׳ מקפיד להצר את צעדי ולרדת לחיי, חשובה לי מאוד התערבותכם המהירה והיעילה.

אני מצהיר בזאת כי כל שנאמר לעיל אמת הוא.

בכבוד רב,

נדב א׳

מה אני יכול לעשות? אני שונא לשטנקר, אפילו בכלא לא צילמתי למרות שהיו לי אלף הזדמנויות להלשין על דימה ועל הדוקרנים שהוא הכין באוהל מפילטרים של סיגריות לבנות, אבל באמת שכלו כל הקִצין והגיעו מים עד נפש, כמה אני יכול לסבול את ההתעללות של השלומי הזה, איש שחור עם נשמה שחורה שבמקרה הטוב בטח

התגלגלה לעולם הזה מג'וק ובמקרה הרע לא אתפלא אם היה בעברו הספיריטואלי הלא־רחוק צורר נאצי מפורסם, חמש אותיות, מתחיל ב־ה', נגמר ב־ר'.

שבוע אחרי ששלחתי את הקבילה בדואר צבאי פנימי, קיבלתי הודעה שנציב קבילות החיילים החליט לפתוח בירור בקבילה, תודה רבה, ברוך השם, ושבועיים אחרי זה קיבלתי זימון רשמי לעימות שייערך ביני לבין שלומי ש' במשרד של נציב קבילות חיילים בקריה היות ו"הנקבל מכחיש בתוקף את כל הטענות נגדו", גם כן חכם קטן ומושתן, אנחנו עוד נראה כשניפגש שם, בעימות, אם הוא יעז להכחיש שהוא אמר לי לך תזדיין, אני הולך לעשות להם וואחד הצגה ולהשמיע להם את ההקלטה שלו בשידור חי שיבייש את הארונות שיש לו על הכתפיים, וזהו, הם בטוח מעבירים אותי לבסיס אחר, העיקר לא להיות רדוף על ידי האיש המטורף הזה.

אז עכשיו אני ושלומי במין הפסקת אש כזאת, הוא לא מתייחס אלי ולא שולח אלי את הקאפואים מלקקי התחת שלו שברגיל תוקעים לי תלונה על כל תנועה של האצבע, ואני מצדי לא כותב מכתבים, לא מלכלך עליו אצל החצאיות בשלישות, רק מחכה שיגיע כבר השבוע הבא ואקבל את האפטר ואגיע לעימות עם הנקבל המכובד, ומשם, עם קצת מזל, אני מזדכה על הבסיס המזדיין הזה ועובר למקום חדש, להתחלה חדשה, למשהו שיעביר לי את השנתיים ומשהו שנשארו לי בצבא לחוויה קצת יותר חיובית וקצת יותר מועילה.

במקביל החלטתי לא לקחת סיכון, ואני פועל במרץ להוריד את הפרופיל שלי כדי שייתנו לי סוף סוף תפקיד נורמלי בשירות הצבאי שלי, משהו ג'ובניקי כזה, עם כמה שיותר פטורים, כאילו ראבכ, כמה אני יכול לקום בשתיים בלילה וללכת בקור של אפס מעלות במדבר?!

אז עכשיו אני מזייף מיגרנות, זה לא בעיה, קראתי באינטרנט מה הסימפטומים, הלכתי למרפאה והתלוננתי שיש לי כאבים כמו פטישים ברקות ושאני לא יכול לחשוב מרוב כאבים, והם מעלים אותי לוועדה ואם הכל ילך טוב, אז איכשהו זה חייב להצליח, או אצל נציב קבילות חיילים או בחר"פ, אני הולך לצאת סוף סוף מהחרא הזה!!!

ואני לא יכול לסיים את המכתב הזה בלי עדכון על החברה שלי. החדשות הטובות הן שהיא חזרה לבסיס אחרי סדנת עיסוי עצם הזנב לשכנה שלה, ואנחנו שוב אוכלים צהריים ולפעמים מתמזמזים בלילה ליד האפסנאות, שזה אחלה, והיא כל הזמן אומרת לי כמה שהיא אוהבת אותי, ואפילו קנתה לעצמה לכבוד זה גרביונים חדשים בצבע ירוק בקבוק (?), ורוצה מאוד שניסע מתישהו ביחד באוטובוס לילה לאיזו אכסניה ליד אילת או לאיזה בית ספר שדה בצפון, קריית שמונה, גמלא, משהו כזה, ואני הולך לשק"ם לקנות לה משהו בכסף שאמא מגניבה לי לכיס כל פעם שאני יוצא הביתה (בעיקר כיף כף ואגוזי, יותר מזה אין מה לקנות פה) והכל נחמד וסבבה כזה, אבל מצד שני, איך אני אגיד את זה בעדינות, מיכאל, אני ממש מתחיל לא לסבול אותה, כאילו כל מה שאהבתי אצלה בהתחלה, כל המסכנות הזאת, כל הפראייריות הזאת, כל ההתלהבות הזאת לשים את הצוואר שלה מתחת לגיליוטינה מזדמנת ולקחת על עצמה אשמה של אחרים, כל הדברים האלה פשוט עולים לי עכשיו על כל העצבים, הקול המתוק והשבירירי הזה, העיניים שכל רגע הולכות לפרוץ בבכי, הציפורניים הכסוסות מרוב היסטריה, חוסר היכולת שלה לעמוד מול אנשים תוקפניים ולהגיד להם לא, המחשבות האובססיביות שלה על כל מיני דברים מטרידים שהיא אפילו לא מוכנה לחלוק

איתי – זה לא מתאים לי, אני לא רוצה להיות עם חברה שמפחדת מהצל של עצמה, ואפילו שכבר סלחתי לה על מה שקרה בתקופת כלא שש, אני מתחיל מה־זה לחמם את עצמי על ההתנהגות שלה, ובקיצור, מיכאל, החלטתי סופית להיפרד ממנה ואפילו ארגנתי תפאורה מתאימה, שקיעה אדומה מול הרי הנגב, סלילים של קונצרטינה, רס"ר חולף, ואמרתי לה בטון רציני ומבשר רעות כזה שאנחנו, כאילו, צריכים לדבר, ואז היא תלתה בי את העיניים הירוקות האלה, מלאות התום, של בחורה שאפילו בעוד מאה שנה ואחרי מאה לידות יהיה לה מבט של בתולה שלא ראתה זין בחיים שלה, ומה לעשות, מיכאל, ברגע האמת לא הייתי מסוגל, פשוט לא הייתי מסוגל לנפנף אותה, והקטע שהיא הרגישה, היא השפילה את המבט והסמיקה נורא ושאלה אם קרה משהו, כאילו בקטע שיש לה מחשבות בזמן האחרון שאני אולי לא מרוצה מהקשר, שאני רוצה לעזוב אותה, יש לה מין מחשבות מציקות כאלה שהיא קוראת להן "המטרידים", ואני אמרתי מיד, מה פתאום, מאיפה הבאת את זה בכלל, אני מת עלייך, רק רציתי להגיד לך שאולי הכל יסתדר עם שלומי אחרי הקבילה, והכל יהיה בסדר, והרבצתי לה נשיקה ומחיתי לה את הדמעות שהיא הביאה באוטומט, ואחר כך, אחרי כמה שעות, כאילו בלילה, ביני לבין עצמי, כבר לא ידעתי מה אני מרגיש, כן רוצה אותה, לא רוצה אותה, כן יכול איתה, לא יכול איתה, כן מסוגל לנפנף אותה קיבינימט, לא מסוגל לפגוע ביצור שבעצמו לא יפגע בזבוב, ורק נורא ריחמתי על הנפש הרגישה הזאת, על הפרח הטהור הזה, ומכל המחשבות יצא לי גם שיר שנתתי לה למחרת בבוקר במתנה והיא נורא התרגשה:

זוֹ עַלְמָה אֲחוּזַת הַבַּהֶלֶת
מֵעוֹף דּוֹרֵס, צוֹחַת לַבְּלָר,
וּבְעֵינֵי הַיָּרֹק הִיא שׁוֹאֶלֶת
הֲיֹאהַב אוֹ אִם כְּבָר עָבַר.

מַה לָּךְ סְגוּרָה וּמְנֻעֶלֶת
בַּחֲלוֹם רַע לְלֹא מְנוּחָה?
הֲרֵינִי מֵסִיט אֶת הַדֶּלֶת
אֲנִי מַקִּיפֵךְ כַּשְּׂמִיכָה.

אני לא יודע מה יקרה איתי עד המכתב הבא אליך, הרבה דברים יכולים להשתנות עד אז, בתסריט האופטימי אני מלקק גלידה באבן גבירול בתל אביב עם כוסית חדשה ובלונדינית תלויה לי על הכתף, ובתסריט הפסימי אני תקוע באותו מקום, באותו הבסיס ובאותו התפקיד, עם מפקד עצבני ובלי חברה בכלל.

ברגעים כאלה אני נקרע מגעגועים למהנא.

שלך,
נדב

[כעבור שעתיים]

שלום שלום נדב, תודה רבה על המכתב המפורט והמרגש כל כך, עשית נכון שקבלת על המפקד המתעלל הזה ואני מאחל לך שתצליח להגיע להישג משמעותי בעזרת הנציב לקבילות חיילים, אבל אני חייב לשאול אותך קודם כל ולפני הכל, מה זה, נדבי, למה לא כתבת לי במשך חודש וחצי?

כבר התמלאתי פקפוקים וחששות שאולי אינך חפץ יותר בידידות המכתבים שלנו, ובינתיים, במהלך ההמתנה הארוכה שגזרתי על עצמי, הקפדתי לבדוק פעמיים ביום את תיבת הדואר בבניין המשותף וכמעט כל שעה את תיבת הדואר האלקטרוני (עכשיו אני גם יודע לבדוק אם הגיע אימייל חדש דרך המכשיר הנייד – גאון צעיר במחלקת השירות של החברה הסלולרית לימד אותי – כך שלאט אבל בטוח אני מתקדם בעולם הטכנולוגיה!).

התלבטתי מאוד בכל התקופה הזאת אם לכתוב לך או לא, אולי אתה משום מה כועס על הדוד המטורלל שלך שמשתף אותך בחוויות כל כך מוזרות, אולי חלקתי איתך רגשות ומחשבות שלא היית אמור להיחשף אליהם בגיל צעיר כל כך, אלוהים אדירים – לפעמים אני שוכח שאתה עוד לא בן עשרים! אבל מצד שני רציתי כל כך לשתף אותך בהרגשה הזאת, שהעולם הוא מקום מופלא ומוזר ועוד לפני שמתחילים להבין אותו כבר צריך להסתלק וללכת, ומכל מקום שמחתי לראות את האימייל שלך וקראתי אותו בשקיקה פעם ופעמיים והתרגשתי, בטח כמעט כמו החברה שלך, מהשיר היפהפה שכתבת לה.

יכולתי ממש לראות את העיניים הירוקות המבוהלות שלה, יכולתי לשמוע את ה"מטרידים" שלה שגורמים לה לכסיסת הציפורניים הכפייתית, יכולתי כמעט להתאהב בה במקומך וגם לרצות לעזוב

אותה כמוך. אתה באמת מוכשר, נדבי, ואולי יום אחד, כשתגדל, תוכל לעשות משהו עם הכתיבה שלך, ספר, רומן, מחזה, תסכית, אני צופה לך גדולות ונצורות, ורק אל תבזבז את חייך על קריירה שבגיל שישים תצטער או תתחרט עליה. זכור את אשר אמר סבא שלי מן העולם שמעבר: החרטה היא הגיהינום האמיתי.

סיפרתי לך במכתב הקודם שהחלטתי לבקר את הזקן, אבא שלי, אחרי שראיתי אותו בעיני רוחי בחיים קודמים, אבל מרגע ההחלטה ועד הביצוע עברו ימים רבים. פשוט לא יכולתי להביא את עצמי לעשות את המעשה הזה, עד שיום אחד השכנה מלמטה, גברת קופיטו, עלתה לצעוק עלי שהממטרות של הוועד מרטיבות לה את הכביסה, ואני אמרתי לה שזה לא אני, אני כבר לא בוועד, והיא שוב התחילה עם הצעקות שלה, שיש מים בכל מקום, מים ולחות ורטיבות, והיא לא מוכנה לזה, היא לא יכולה לסבול את הטיפות האלה שמחלחלות לכל מקום ומפרקות את הבית מלמטה, מן היסודות, ומעלות עובש בבגדים, ועוד פעם העלתה בצעקות את העניין הבלתי נגמר של הרטיבות בתקרה של חדר השינה שלה, ממש מעל המיטה הזוגית שהיא ישנה בה לבד כבר יותר מעשרים וחמש שנה, כי בעלה המנוח נרקב כבר מזמן בקבר, והלוואי שאויביה לא יסבלו אפילו עשירית ממה שהיא סובלת בחיים האלה, ובקושי הרגעתי את המטורללת הזאת ממסכת הקיטורים והתלונות והטרוניות ואז ידעתי, זה היה הסימן, שאני חייב לנצל את הבוקר הזה, את היום הזה, **אחרת**, בצורה יותר נכונה.

בו ברגע החלטתי לנסוע אל בית החולים הסיעודי שבו הזקן שלי מאושפז כבר עשר שנים, בשדרות ירושלים ביפו, סמוך לדוכן של מלבי או איזה ממתק מזרחי אחר, אבל לא יכולתי להכריח את עצמי להיכנס לאוטו ולסובב את המפתח. במקום זה הלכתי במיאון אך

בעיקשות אל תחנת האוטובוס ויצאתי למסע שנראה לי הארוך ביותר והמתיש ביותר מכל המסעות שעברתי עד היום.

כשהמתנתי בתחנה עם שני בני נוער ואישה זקנה אחת, התחילו לעלות בי, כמו מעצמם, כל זיכרונות הילדות, כמו בובות מתוך תיבת צעצועים ישנה ונשכחת. אני בכיתה ה׳ ומתקשה מאוד בשיעורי הבית בחשבון אחרי שנכשלתי פעמיים בבוחני פתע של המורה צילה, ואבא יושב איתי בגופייה לבנה החושפת את חזהו השעיר ומנסה להסביר לי מה זה אחוזים, והולך ומתרתח כשאני לא תופס שרבע זה 25%. אני פשוט לא יכול להבין את הקשר בין המספרים, וסימן האחוזים המוזר הזה, שני העיגולים המתנדנדים זה מול זה משני צדי קו אלכסוני, מעלה בי רטט של פחד שחוזר ומציף אותי אפילו עכשיו, בזמן כתיבת המכתב הזה. אבא הולם באגרופו על השולחן וכל כולו סמכות וחוזק ועוצמה, ואני, הילד הקטן שיושב לידו ולא מבין מילה, לא מצליח להבין את הדוגמאות על מאה תפוזים ועל המשוואה שיש להכפיל אותה באלכסון (?) ואז לחלק (??), ונוכחותו הגברית, הסמיכה, היא כמו עשן של ארס מחניק בנחיריי.

הנהג האדיב באוטובוס לוחץ על הכפתור ומוסר לי את העודף, וכשהאוטובוס מתפתל בקול שעטה וגניחה בין פתח תקוה לרמת גן, אני מנסה, ממש מכריח את עצמי, לחלץ זיכרון חיובי אחד לרפואה מן האיש הגדול והחזק והמפחיד שגידל אותי. אבא צועק על אמא, אבא כועס שהתחצפתי לאחותי, אבא מתעטש בקול, אבא מחטיף לי סטירה, אבא מעיר אותי בבוקר קר במשיכה אלימה של השמיכה, אבא שהוא מין זכר שליט ענק, מין גורילה קדמונית ששולטת במשפחתה ללא עוררין, אבא שקולו הרועם מתלהט במהירות לכדי צעקות שקירות הבית רועדים לשמען, וככל שאנו מתקרבים ליפו, כשקווי המתאר שלה מתגלים באופק, הגבעה התלולה מעט, הנמל,

המסגדים, אני מתמלא אי־נוחות וחשש, מה אומר לו, לזקן, אחרי שכמעט ולא ביקרתי אותו בעשר השנים האחרונות, וצמרמורת עוברת בלחיי למגעה המדומיין של סטירה שתונחת עליה בעוד רגע קט.

אני חושב שתעיתי כמעט שעה במסדרונות בית החולים הסיעודי צהלון עד שמצאתי את אבא.

הם העבירו אותו משום מה ממחלקת הסיעודיים לתשושי הנפש, ולא רשמו נכון את שם המשפחה. כנראה כבר מזמן אף אחד – לא אני, לא אחי ולא אחותי – לא בא לבקר אותו ואיש לא טרח לתקן את הטעות.

בסוף נכנסתי אל החדר הנכון, חדר מלבני עם חלון גדול ובו ארבע מיטות ובכל מיטה זקן אחר, מפולבל עיניים, ישן לרוב. הזקן שלי היה מכוסה בשמיכה ונראה כמי שישן שינה מסויטת, חזהו המדולדל עולה ויורד במהירות, כמו נשימה של תינוק חרד, אבל כשהתקרבתי אליו ראיתי שהוא לא ישן בכלל, להפך, עיניו הירוקות, העיניים שמבטן הזועף הקפיא תמיד את דמי, היו ממוקדות בנקודה מסתורית על התקרה, ובמהירות, בתנועה אחת, עברו והתמקדו בי, בצלמי ובדמותי המזועזעת מהבדידות והעצב התהומיים שנשקפו מעיניו.

אבא גוסס עכשיו **כמו כלב** בבית חולים נידח בשוליה של עיר שכמעט ואינני פוקד אותה. אין כל מזמורי שמחה של אנשי שבט מאוחדים שינעימו לו את רגעיו האחרונים, להפך, הוא מוטל לבדו בין קירות עירומים, אחיות נחפזות, חולים תשושים שאינם מכירים אותו.

אמרתי לאט ובהטעמה, הגעתי לביקור, אבא. פתחתי את החלון בחדר ויצאתי להביא את כיסא הגלגלים והושבתי עליו את אבא

ויצאנו משם, אל החצר של תשושי הנפש, ליהנות מקרני שמש ישראלית שזופה. אמרתי לו, אבא, להביא לך משהו, אתה רוצה מים, וההוא לחש, לא, תודה, שתיתי זה עתה, ואני אמרתי לעצמי, הוא אולי סיעודי ואולי תשוש נפש אבל שכלו בהיר וחד כפי שהיה.

נזכרתי כמה אהב תמיד לדבר על הרמב"ם, שהיה בשבילו הדמות הנערצת ביותר בין כל גיבורי היהדות, ואמרתי לו, אבא, מה אומר הרמב"ם ב"מורה נבוכים", האם העולם קדמוני או נברא? ואבא כחכח בגרונו כאילו רק חיכה להזדמנות להשיב לשאלה ואמר, הכל תלוי בשאלה כיצד אתה מתייחס לסתירות הפנימיות המכוונות בחיבור שלו.

אחזתי בידו ובו ברגע גמלה בלבי החלטה חשובה יותר מכל החלטה שאי־פעם החלטתי בחיי, והבטתי אל עומק עיניו וחייכתי ואמרתי, אני מבטיח שלא אחזור בי, שאמשיך לבקר אותך ולסעוד אותך עד יומך האחרון. בעיני רוחי העליתי בכוח המחשבה את דמותו של סבא המנוח שחייך ועודד אותי על הצעד המבורך, ופוק פרץ בצחוק, ואובזה לחשה משפט נוסף שלווה, והסעתי את אבא בכיסא הגלגלים שלו על שביליו של בית החולים, ליד דשא מצהיב, גוסס, ושיחים קטנים של הדס והרדוף, וזה, נדב, היה הרגע המאושר בחיי.

אחר כך אבא עצם עיניים, כמעט ונרדם בכיסא הגלגלים, והעברתי אותו בכוחות משותפים עם האחיות בחזרה אל מיטתו ואני נישקתי את גב כף ידו ויצאתי מן החדר, כל הדרך חזרה אל סימבה שחיכה לי אילם ומלא הבנה ליד ארגז החול שלו בדירה ברחוב הלר בפתח תקוה.

מאז אני מבקר את אבא מדי יום ביומו. כשיש יום יפה אנחנו מבלים שעה או שעתיים בטיול בחוץ, וכל הזמן מדברים, לא על הזעקות ששמורות בי מן הילדות הרחוקה, זה עדיין קשה מדי

אפילו לאיש מבוגר כמוני, אלא על מה שאמר הפילוסוף היהודי החכם לפני שמונה מאות שנים. לדוגמה, שאלוהים הוא למעלה מכל השגה אנושית, כך הסביר לי אבא, וכל לשון שנוקטת התורה כדי לתאר אותו בגוף או במעשה היא רק משל. אלוהים לא רואה ולא מדבר ולא כועס ולא מוחל, זאת רק אלגוריה בשביל הסיפור, או אולי בשביל לְרַצות ולפייס את ההמונים הנבערים שמשתוקקים לדמות אבהית סמכותית, אבל האמת היא שאלוהים כלל לא נמצא בעולם הזה, לא דואג ולא שומר ולא מתערב ולא מתקן, ובוודאי לא מפשפש בציציות כדי לבדוק אם מקיימים את מצוותיו, הוא מעל הקיום ומעל ההבנה, מין אנרגיה טהורה ששכלנו המוגבל לא יוכל להשיגה לעולמים.

ביום שהחלטתי לסעוד את אבי עד מותו הבנתי שעלי להיפרד מאוולין, אוולין הנהדרת, שלימדה אותי כל מה שלא חלמתי לדעת על אהבה ועל גלגולים ספיריטואליים ועל גלגולים של צינגלה, ושתמיד אהיה אסיר תודה לה על כל המתנות שהעניקה לי. עכשיו, כך ידעתי, אני חייב להמשיך במסע לבדי, אל עצמי, מסע אל כל הזיכרונות והפחדים והזעקות שנמצאים בי בפנים.

חשבתי איך אומר לה, לאישה המיוחדת והחושנית והמצחיקה הזאת, שלא נלך עוד יחדיו אל עומק הפרדס ולא נוסיף להתייחד תחת חופת ענפי התפוזים, ודמיינתי אותה עונה לי בצחוק משוחרר שאני חופשי ללכת לדרכי, או אולי נעלבת במחווה דרום־אמריקאית עצבנית. אבל אוולין כלל לא ענתה.

גם חברותיה נעלמו כלא היו, עד שהתחלתי לחשוד בעצמי שהמצאתי את כל הסיפור הזה, שאלה רק מילים ששלחתי לך ולא מציאות שחוויתי בחיים האמיתיים, וכשנסעתי לדירתה בגבעתיים, סמוך לרחוב שינקין, נעניתי בדלת סגורה ומוגפת, ורק שכן

מנומנם, סטלן לפי עיניו האדומות, אמר שבאמת גרה שם מישהי, זקנה כזאת, הוא לא יודע את שמה, לא זוכר בכלל איך היא נראית, וכן, נדמה לו שהיא נסעה, לא ברור לאן, אולי סין, או דרום־אמריקה, בכל מקרה הדירה היתה מושכרת למישהי ועכשיו עומדת לגמרי ריקה.

כתוב לי, בבקשה, ואל תתמהמה כל כך,

שלך,

מיכאל

[כעבור שבוע]

לאח הסיעודי היקר שלום,

אני **ממש** מצטער על הקטע המסריח שלא כתבתי לך איזה חודשיים
ונתתי לך לסבול כל מיני מחשבות ופקפוקים, אבל אני נשבע לך
שזה בכלל לא היה נגדך וזה בכלל לא כמו שחשבת שזה, פשוט
הייתי כל כך עסוק בעצמי שלא הבאתי את עצמי לשבת ולכתוב
לך, ולפעמים זה דווקא טוב שלא כותבים, שלא מרגישים את
הצורך לכתוב, אולי זה אומר שהחיים מספיק רגועים, מספיק
שלווים, מספיק זורמים על מי מנוחות, שלא צריך לשפוך את הכל
אלא אפשר פשוט לחייך חיוך קטן ולהמשיך אל היום הבא.

לא ידעתי שום דבר על אבא שלך, שהוא בן תשעים ועדיין צלול
ובכל זאת נמצא לבד בבית חולים ביפו. זה גרם לי לחשוב על עצמי
ועל החיים שלי, שבעצם בלי לשים לב גם אני אהיה יום אחד זקן,
וכל הפנסיונרים האלה שאני מתמלא תיעוב כלפיהם ובז להם על
האטיות שלהם ועל הקמטים שלהם ועל הריח הזקנוני המגעיל
שלהם, הם כולם בעצם רק השתקפות של מי שאני אהיה בעוד
שישים-שבעים שנה. אני מסתכל על עצמי ולא יכול להאמין, זה
נראה לי ממש מדע בדיוני, שיום אחד אהיה כמוש כמו הגריאטרים
האלה. בטח צריך לעשות משהו ממש נורא כדי להיראות עלוב כל
כך.

גם חשבתי הרבה על מה שאבא שלך אמר על זה שאלוהים בכלל
לא נמצא בעולם שלנו ולא מתערב בו ולא אכפת לו אם כן או לא
מקיימים את המצוות, אני כאילו, חשבתי על זה הרבה לפני כן
בעצמי ואני בטוח שבעולם שלנו אין שום דבר מעבר לחומר, בשר
ודם, שערות, ציפורניים, והדנ"א שמצפין בתאים את כל הידע איך
לבנות אותם, אין שום דבר מעבר לזה ובטח שאין שום ישות נעלה,

כל־יכולה, מלאת טוב וחסד, שצריך להתפלל אליה כדי לקבל כמה הנחות בכאב ובסבל של הקיום. יש רק חומר, חומר בלבד, למה כל כך קשה לקבל את זה?

אבל תשמע, מכל המכתב הארוך שלך הכי אני מבסוט מזה שהמטוררלת הזאת יצאה סוף סוף מהחיים שלך, זה הצעד הנכון ביותר שעשית מאז שהתחלתי את חליפת המכתבים איתך ואני מוריד בפניך את הכובע, אפילו שהיא זאת שנעלמה מן האופק, ואגב, אם יתברר שרק המצאת אותה כמו שרמזת שם בין השורות, שהיא רק דמות שהגית בדמיונך, שאוולין עם השרשראות המקרקשות שלה ו"בוא תוריד את החגורה ונתגלגל חמישים אלף שנה אחורה", אוולין הזאת היא רק מילים ולא בן אדם אמיתי, אז בחיי שאפשר לנשום בהקלה, כאילו, קצת דאגתי לך שהתחברת עם יצורים כל כך מוזרים – זה עלול להשפיע על השפיות, אני מזהיר אותך.

הבטחתי לעדכן אותך בעימות הגדול שארגנו בנציב קבילות חיילים ביני לבין הפסיכופת הזה, שלומי, אז הנה אני מקיים למרות שלא ממש בזין שלי להיזכר במעמד המגעיל הזה.

מה שהיה זה שקבעו לי להגיע לקריה ביום ראשון בתשע בבוקר והייתי צריך להיסחב כמו כלב באיזה עשרה אוטובוסים בפקקים, וכשהגעתי לשער ברחוב קפלן וראיתי את השי"ן־גימ"לים המצוחצחים עם התחת הנקי והממורק היטב, שאמרו לי שלפי פקודות מטכ"ל אני לא יכול להיכנס לבסיס בקריה עם הנייד, זה פשוט הביא לי את הקריזה והתחלתי לצרוח שיש שם עדות חשובה למשפט ואני לא מתכוון להפקיר אותו אצלם, ואחרי ויכוח סוער, כשכבר התפוצצתי מרוב עצבים על המפגרים האלה, הם הרשו לי להיכנס עם המכשיר, ובקיצור כבר ההתחלה לא היתה מבשרת טובות.

אחר כך הגעתי למשרד של נציב קבילות חיילים וציפיתי
שיקבלו אותי בזרועות פתוחות ויגנו עלי מנחת זרועו של המפקד
המתעלל ויצילו אותי מציפורניו, אבל איזה, בדיוק להפך, הסא"ל
שקיבל אותי, איזה בנצי אחד נפוח מחשיבות עצמית, פקד על
החיילת המבוהלת להביא את התיק שלי, ואז התחיל לעלעל בקלסר
ובכל הדפים שהיו מתויקים שם כאילו מי ישמע איזה סיפורים
קבורים שם בפנים, והתחיל להגיד בטון לא יפה ומלוכלך, בקטע
שמוציא אותי שקרן בן-זונה, שהוא קיבל את התגובה של שלומי
ומשם עולה תמונה לגמרי אחרת, שתקפתי אותו באלימות מספר
פעמים, ועובדה שגם הייתי בכלא, וגם שם שמעו עלי גדולות
ונצורות (איזה שטויות!) ושכל התקופה שאחרי הכליאה שלומי יצא
מגדרו, עאלק, כדי לעזור לי להשתקם, ועשה כל שביכולתו "כדי
שאמשיך לקיים שירות נורמטיבי ולא אדרדר אל רמות הפשע
והאלימות שכנראה קסמו לי יותר מההליכה בתלם" (אני חותם לך
שמישהו עזר לדגנרט הזה עם הניסוח), ומהדרך שבה בנצי, או איך
שלא קוראים לו, קרא את התגובה השקרית והמכפישה של שלומי,
היה לי ברור שהוא בעדו ולא בעדי, שהוא נגדי ולא נגדו, ולא
יכולתי להתאפק ואמרתי לו את זה, שהוא בעצם חלק מהמערכת,
חלק מהממסד, אז ברור שהוא יגן על החברים הקצינים שלו, ובנצי
חייך חיוך ששיווה לפנים השמנות שלו מראה מושלם של ירח מלא
ואמר בטון מתחסד, מה פתאום, אנחנו לא חלק מהצבא, נציב
קבילות חיילים הוא זרוע נפרדת, ואני בקטע של, יאללה, תפסיק
לעשות עלי רוח ואוונטות, הרי אתה שותה את אותם מים מעופשים
של צה"ל כמו כל הקצינים שקובלים עליהם, ואז, בעיתוי מושלם,
נכנס פנימה בחזה נפוח הכוכב העולה שלומי, והתיישב שם כמו
ערס עם חבורת הזונות שלו ואז התחיל עימות דה לה שמאטע
שבמהלכו חזרתי על כל הטענות ושלומי הניף את ידו בביטול

כאילו שאני מלך השקרנים, וכל אותו הזמן אני פשוט מתחרפן, אני משתגע מהצביעות שלהם, של המפקד בנצי, ושל החיילת המבוהלת, ושל שלומי ש', שכולם משחקים אותה כאילו הם מקיימים עימות אמיתי כדי ללבן את העובדות, אבל בעצם כבר החליטו מראש שאני הבעייתי, אני הדפוק, אני השקרן.

וזה היה בקטע הזה שהחלטתי לשלוף את נשק יום הדין, את השפן ששמרתי בכובע, ואמרתי, מה לגבי המשפט שאינו הולם קצין, שתי המילים שבהן הנקבל הציע לי ללכת להזדיין, מה גרסתו כאן, ושלומי אמר מיד שלא היו דברים מעולם, שהוא מכחיש, שאלה דמיונות שווא, ואני אמרתי בתרועת ניצחון, אז מה זה, ושלפתי את הנייד שלי ותקתקתי מהר על המקשים כדי לשלוף את העדות המרשיעה, כמו שהתאמנתי מאה פעם לפני כן בבית, אבל אני נשבע לך בכל היקר לי שברגע האמת לא הצלחתי להפעיל את המכשיר! מתברר שבלהט הוויכוח השי"ן-ג'ימ"לית הסתומה טלטלה לי את הנייד וכנראה העיפה את הבטרייה מהמקום וכל הזיכרון נמחק, ושלומי עיקם את השפתיים בקטע של, אתם רואים? ובנצי אמר שהעימות הסתיים והוא ישלח את החלטתו בדואר צבאי.

עד שההחלטה תגיע מנציב קבילות החיילים, קיבלתי בעצמי החלטה והיא לעזוב סופית את טלי. בכל הזמן שעבר מאז הפעם האחרונה שכתבתי לך היא יותר ויותר עלתה לי על העצבים, והמשכתי לנטור לה טינה על זה שבתקופה הכי קשה בחיים שלי היא לא היתה שם בשבילי, אלא נעלמה כדי לעזור לאיזו שכנה רק בגלל שביקשו ממנה ולא היה לה נעים לסרב. אני מצטער, לא זאת הבת זוג שאני רוצה איתי, אני יותר מדמיין מישהי שתדע לעמוד על שלה, שלא תשפיל את עצמה ושתדע להבחין בין עיקר לטפל. אבל הקטע המבאס הוא שלא ידעתי איך עושים את זה, בחיים לפני

כן לא היתה לי חברה, ופתאום אני מוצא את עצמי תקוע במערכת יחסים בהתהוות ולא יודע אפילו מה הכללים לאיך לסיים אותה, ואז, בסוף, עשיתי את זה בדרך שבאה לי הכי טבעי, כשהיינו אצלה בחיפה, בחדר הוורוד שלה עם דובוני החרסינה על המדפים וכל שאר הדברים החמודים, בלילה, במוצ"ש, אחרי ששכבנו, והיינו בקטע המתוק של אחרי הסקס, עם הריח המיוחד שיש אחרי שמזדיינים, ריח כמו של גראס וזיעה וקטורת מעורבבים אחד בשני, והיא ככה הניחה את הראש שלה על החזה שלי, אז פשוט אמרתי לה את זה, שאני מאוד אוהב אותה וקשור אליה ושהיה לנו נורא כיף ביחד אבל שמכאן אני רוצה להמשיך במסע החיים שלי לבד, כאילו, בלעדיה, ובזמן שדיברתי גם חיבקתי אותה חזק והיינו עירומים וכל כך קרובים והיא שתקה ואמרה, אז זהו, ואני ליטפתי לה את השיער החום והארוך עם הריח התמידי של שמפו איכותי ואמרתי, טלי, אני ממש מצטער אבל נראה לי שכן, זה פשוט לא עובד, ונישקתי אותה על הלחי והכל היה מוזר אבל גם נכון כל כך, להיות הכי קרוב והכי רחוק באותו רגע, והיא קיבלה את זה כמו שהיא מקבלת כל דבר בחיים, בכניעה גמורה, בשתיקה אילמת, בלי להתווכח ובלי להביא טיעוני נגד, ולמחרת בבוקר עליתי על מדים ונסעתי לבסיס לבד, בלעדיה.

ואז ראיתי את זה, לא היתה לי שליטה על החזיונות האלה, ראיתי את עצמי בעוד עשרים שנה, בן ארבעים או משהו כזה, חתיאר, נזכר באהבת נעורי ומתמלא עצב שפספסתי אותה, שוויתרתי עליה, שבחרתי בדרך אחרת, שענף שלם מעץ החיים שלי נכרת בן לילה, ודמיינתי את עצמי זקן כזה, מקומט, בעוד הרבה שנים מעכשיו, הולך ליד הבית שלה בדניה ומציץ אל החדר שבו שכבנו בפעם הראשונה כשהייתי בטוח שהיא עדיין בתולה, ונזכר בימים הרחוקים ההם, כשהייתי צעיר, ומכל הבלבלה הרגשית הזאת התחלתי אשכרה

לבכות בדרך מחיפה לתחנה המרכזית של באר שבע, פשוט הצמדתי את האף שלי לשמשה של האוטובוס ובכיתי על כל ההזדמנויות והרגעים היפים והחיים המאושרים שככה רצחתי על דעת עצמי.

■ ■ ■

[כעבור שבוע]

זה המכתב שקיבלתי היום בדואר מנציב קבילות חיילים.

הנדון: קבילתך מס׳ 208502/3

בקבילתך שבנדון הלנת על אופן התנהגותו של סג״מ שלומי ש׳ בענייניך. סג״מ שלומי ש׳, עליו קבלת, שלל את טענותיך מכל וכל וציין כי טיפל בך כהלכה ובהתאם לפקודות. מעימות העדויות עלה כי אין יסוד לטענותיך כלפיו, דבר אשר לובן בנוכחותך במהלך עימות העדויות. לא למותר לציין, כי התגלו סתירות מהותיות בין טענותיך ודברים שמסרת.

נוכח האמור לעיל, לא מצאתי מקום להתערבות מטעמי בהתייחס למפקד עליו קבלת. יחד עם זאת, ולמרות האמור לעיל, עלתה בעימות מערכת יחסים קשה בינך לבין הנקבל אשר יש בה כדי לפגוע בהמשך תרומתך לצה״ל. אי לכך, ולפנים משורת הדין, הוריתי כי תשובץ לאלתר בבסיס שמרית בדרום הנגב.

נוכח האמור לעיל, הנני מסיים את בירורי בקבילתך ומאחל לך בריאות והצלחה בהמשך הדרך.

ל׳ בן־ציון

ע׳ נציב קבילות חיילים

אני הולך להשתגע.

"שמרית" הוא בסיס ידוע לשמצה על גבול מצרים, בחור של
החור של התחת של המדינה, יש שם אנטנה צבאית שצריך לשמור
עליה וחוץ מזה אין שום דבר לעשות שם – כבר שמעתי סיפורים
על אנשים שחזרו משם אחרי חודש אחד מחורפנים לגמרי מלא
לעשות כלום, ואני הולך לבלות שם עד סוף השירות, עד השחרור.

נדב

חלק ג

[כעבור כשנה וחצי]

שלום שלום נדב, אני מקווה שהכל בסדר אצלך.

אבא שלי מת היום.

ההלוויה תיערך מחר.

אין צורך להגיע (ואני משער שגם אם תרצה זה יהיה בלתי אפשרי), אני כותב לך בעיקר כדי להתנצל על פרק הזמן הארוך שחלף מאז מכתבך האחרון, בתקווה שתסלח לי.

מה שלומך?

שלך,

בדמעות ובנשיקות,

מיכאל

[כעבור יומיים]

לדוד הנעלם שלום,

אני מצטער מאוד לשמוע על אבא שלך. למרות סירובך המנומס
הייתי מאוד רוצה להגיע להלוויה, אבל לצערי אני באמת לא יכול –
קיבלתי את האימייל שלך באיחור של יומיים באינטרנט קפה עלוב
באזור התחנה המרכזית בבאר שבע, בדרך הביתה מבסיס האנטנות
המחרפן ביותר במזרח התיכון, שמרית.

האמת היא שבמשך השנה וחצי האחרונות התבאסתי לאללה מזה
שלא קיבלתי ממך אף מכתב (גם אם דיברנו פה ושם קצת בטלפון,
זה לא אותו דבר!), ודווקא נורא רציתי לקבל ממך את אחת
החבילות ההזויות שלך, אבל המוטו שלי בחיים הוא לתת לכל אחד
את הספייס שלו, בקטע של, אם אתה לא רוצה לכתוב אז סבבה, לך
על זה, אולי אתה בתקופה נורא טובה בחיים ולא בזין שלך לקרוא
את כל החרא שלי.

מה היה אתמול בהלוויה? יואב ואמיר היו? וגם דודה לאה שתחיה?
ואיך אתה? איך אתה מרגיש? כאילו, זה לא הגיע בהפתעה, אבל עדיין,
לחשוב שלעולם לא תראה אותו יותר (לפחות לא בגלגול הזה, כלומר).

אם אתה רוצה לדעת בקצרה, בשורה התחתונה, מה קורה איתי, אז
המצב דווקא מאוד פשוט, יש רגש אחד שמושל בכיפה בלי הרבה
ניואנסים: אני כולי **רותח מזעם** על הצבא המטומטם הזה, על שלומי
ש', על הקצינים הנפוחים, על האידיוט מנציבות קבילות חיילים, על
כל הדמויות המחפירות והמקוממות האלה שקברו אותי חיים לכל
השירות הצבאי בבסיס שיש בו רק צריף מגורים, חמ"ל, מקלחת,
שירותי בול-פגיעה וזהו, אה, סליחה, וגם איזו אנטנה מטומטמת,
שהיא בעצם הסיבה שתקעו אותי פה, כי כל התפקיד שלי זה להפעיל

פעם אחת ביום, בלילה, את הגנרטור של האנטנה כדי שהמנורה האדומה בקצה שלה תידלק, ולכבות אותו עם עלות השחר.

אתה קולט את הקטע המפגר? הם מחזיקים פה חייל בסדיר ושני מילואימניקים בשביל האור של האנטנה, ואחרי זה עוד מייללים שהם צריכים תוספת לתקציב הביטחון, כמה עשרות מיליוני שקלים על הדרך מתקציב המדינה. די כבר עם האבסורד של החיים האלה, כמה אפשר לסבול?!

כשרק נכנסתי לכאן לפני שנה וחצי, כשהג'יפ הצבאי הטיל אותי, פשוטו כמשמעו, בפתח של הש"ג והחלפתי איזה סדירניק, מתולתל אחד עם מבט קצת לא שפוי בעיניים, חשבתי שגם אני אשתגע, שאני אתחרפן מלהיות פה כמעט לגמרי לבד ומלא לעשות כלום עם החיים, רק לתדלק את האנטנה הבת זונה ובלילה להאזין בקשר לשטויות של הגששים הבדואים ולחיילים שמפטרלים באזור ועושים חיקויים ארוטיים של פינוקיו והדרדסים ולנסות איכשהו להרוג את הזמן, אבל אז החלטתי שאני לא אתן למערכת המטומטמת הזאת לשבור אותי, כי זה בדיוק מה שהם רוצים, שאני אצא מדעתי, שאני אוריד פרופיל ל־21, שאחצה את הגבול למצרים (האמת, לא רחוק, שני קילומטרים דרומה), שאני אערוק, שאני אתפרק לרסיסים עד שאפול על הברכיים ואתחנן לרחמים, אבל החלטתי לא לתת לסאדיסטים הסוטים את העונג הזה, החלטתי שאני אעביר את התקופה הזאת כמו גבר, בלי להישבר ובלי להתבכיין, ובשעות הנצחיות שלי מול גבעות החול, שמתכסות מוקדם בבוקר בערפל סמיך, קדמוני, בשעות האלה שקדתי על כתיבת סדרת התסכיתים שלי על החייזרים בכלא שש, וכשסיימתי אותה כתבתי עוד אחת, ועוד אחת (סך הכל אני טוחן פה כבר שנה וחצי), כולן על חיילים שבוזים ועל מפקדים מתעללים, עד שבסוף שיניתי לגמרי כיוון ופיתחתי סדרה אחרת, הפעם לילדים, על ילד עצבני שמחסל חשבונות עם כל העולם בעזרת בית משפט מיוחד

שהוא קורא לו **בית המשפט שלי**. פעם הוא תובע את אבא שלו שהוריד עליו סטירה ופעם את החבר הכי טוב שלו שהלשין עליו למורה, וזה מה שהחזיק אותי שפוי בשנה האחרונה, זה מה שגרם לי לא לקחת את ה-M16 ולרסס בכדורים את הגנרטור הטרטרן שדופק לי בשכל, והנקמה המתוקה מכל היתה כששלחתי את הסדרה לילדים לפני כמה שבועות לרשת א׳, סתם ככה, ויום אחד קיבלתי מהם אימייל שהם רוצים לפגוש אותי, שהם ממש מתלהבים, שמה שכתבתי הוא בעיניהם מצחיק ומרדני וידבר אל לבו של כל ילד, ובקיצור הם החליטו להפיק את מה שכתבתי ולהפוך אותו לתסכית רדיו, ממש עם שחקנים אמיתיים, מקצועיים, ואם הכל ידפוק כמו שצריך זה אמור להיות משודר בעוד חודשיים מהיום, בתחילת הקיץ, והם אפילו ישלמו לי על זה כסף, חמש מאות שקל לפרק!!!

אז אלה החדשות בקצרה בינתיים. אני מקליד לך עכשיו את המשפטים האחרונים ותכף עף מכאן כי האוטובוס שלי יוצא עוד מעט מרציף שתיים לירושלים, ובקרוב מאוד אתחבק עם מאמושקה המתוקה שלי ואגיע הביתה אחרי שלושה שבועות שחרבנתי בבול-קליעה וגרבצתי מול החולות השוממים של הנגב.

מיכאל, אני אתחבר שוב מחר או מחרתיים, אז אם תוכל תכתוב לי לאימייל בסופ״ש, אני רוצה לשמוע מה שלומך ומה עובר עליך. ואתה מוזמן כמובן לכתוב לי גם בדרך הישנה והטובה, עם בול ומעטפה, אני בדואר צבאי 02544. אין צורך לכתוב עבור מי זה, כי אני רוב הזמן לבד בבסיס (אלא אם כן יש לך משהו ממש חשוב למסור לאנטנה).

שוב שולח לך את תנחומי,

שלך,

נדב

[כעבור שעתיים]

שלום שלום נדב, כמה טוב לשמוע ממך ולהיווכח שאתה לא רותח
מזעם עלי, כי האמת היא שהתמלאתי בושה על שזנחתי אותך כך
פתאום, אבל החיים משכו אותי אל תפקיד שלא חלמתי ולא
פיללתי שאגלם. אני, שהייתי תמיד מסויג מאבי, מפוחד ממנו,
מרוחק ממנו כל כך, סעדתי אותו יום יום במשך התקופה האחרונה.

לקחתי חופשה ללא תשלום מהעבודה ומדי בוקר נסעתי ליפו,
אל בית החולים צהלון, אל מחלקת תשושי הנפש, ובברכת בוקר
טוב נישקתי אותו על לחיו ויחד היינו יוצאים ביום שמש יפה לנוח
ולשוחח בגינה, על הדשא, ובימים אחרים, יפים פחות, שתינו כוס
תה ודיברנו על הכל בלי לדבר על כלום, בעיקר על משנתו של
החכם מכל היהודים, רבי משה בן מימון.

כשהייתי רוחץ את גופו העירום, הבלוי, היה אבי מספר לי תחת
זרם המים הדלוחים, באמבטיה הפשוטה, על הנביאים הגדולים
שלנו, יחזקאל, עמוס, ירמיהו, יונה הנביא, שלכאורה, לפי התנ"ך,
דיברו עם אלוהים בצורה ישירה, ואף התווכחו והתפלמסו איתו,
אבל לדעת הרמב"ם דיבור כזה לא היה ולא נברא, שהרי לא ניתן
לתקשר עם ישות העולה על כל הבנה אנושית.

במקום זאת הרמב"ם טוען, אמר אבא ברטט שפתיים, בחניכיים
האוחזות בקושי בווי השיניים התותבות, שהתובנות האלוהיות של
נביאי ישראל הגיעו מכוח התבונה, מן השכל, אולי מאותם מקומות
מופלאים ומוזרים שאת השער אליהם פתחה אוולין בכוח מילים
בלבד, בלחישות דקות, שערים אל עולמות רחוקים ונוכריים
המסתתרים עמוק בתוכנו.

לא שאלתי את אבא על היחסים הקשים שלו עם אמא זיכרונה
לברכה, לא שאלתי אותו על מזגו שהיה זועף דרך קבע, על הסיבה

לכך שהנחית את חבטותיו הקשות על ילדיו, ואני ביניהם. במקום זאת שוחחנו בפליאה רבה על האומץ ועוז הרוח של בן מימון המנוח, שלא נרתע מן הרבנים ששרפו את ספריו, אלא שב וחזר על דעותיו המקוריות, שאין בעולם הזה אלא תבונה שמקורה באלוהות, ובן האנוש היחיד שזכה לראות את המהות הנשגבת והבלתי ניתנת להמשגה, את אלוהים, היה משה רבנו, אבל כל האחרים, כל הנביאים הגדולים, הרועמים, הסמכותיים האחרים, לא דיברו אלא מהרהורי לבם...

במשך החודשים הרבים האלה היו מקרים שכמעט גרמו לי להפסיק לבוא אל אבא ולחזור אל מסעותי בעולם.

כבר בתחילת התקופה הארוכה הזאת, אחותי הצעירה ממני שלחה שליחים לברר מה פשר הקִרבה הפתאומית בין האב לבנו, מתוך מחשבה מכוערת שאני מנסה להשפיע על הצוואה שלו ולקפח אותה מירושתה – הבל הבלים, כמובן, שהציף אותי בחמת זעם במשך שישה שבועות לפחות, עד שרציתי לזנוח את הכל ולצאת אל הרפתקאות הקסם מעבר לים.

אחר כך, בכל פעם שהייתי שומע שיר בשפה זרה או שיר שהזכיר ארץ רחוקה, הייתי צריך להיאבק בעוז בדחף העצום הזה, לקחת את הכל ולצאת שוב למסע אל מעבר לים, אל מקומות שאני חייב לראות לפני שאמות בעצמי, מי יודע בעוד כמה שנים.

אבל הקושי הגדול מכולם היה בכל פעם שדמותו הישנה, הזכורה לי מימי ילדותי, של אבא הזועף, הזועם, המעניש והכועס, היתה עולה מחדש בבית החולים צהלון, כשאבא נזף בי על איחור או הטיח קללה או עלבון מתוך מזג רע, ואני כמעט שפשטתי את החלוק הדמיוני, פלטתי "שלום" נקמני ועפתי משם לכל הרוחות.

אבל לא עשיתי את כל אלה, אלא המשכתי, מדי יום ביומו, בחגים ובסופי שבוע, בגשם ובשרב, לבוא אל החדר הקטן באגף

תשושי הנפש ולסעוד אותו עד מותו. ניסיתי לעשות את זה בדרך שלי, עד כמה שאפשר, בתחרויות מרוץ בין כיסאות הגלגלים של תשושי הנפש! במשחקי יצירה וקיפולי נייר! בשירים ומוסיקה! ובחיי שהצלחתי להעלות חיוך על פניו של הזקן הרגזן שלי.

בחודשים האחרונים כבר ידענו, אבא ואני, שמותו מתקרב. ידענו זאת מכוח האותות המרומזים שהמציאות מנדבת לנו ואנו על פי רוב מעלימים מהם עין, כמו הרטט החדש בשפה התחתונה, כמו שטף הדם הפנימי שגזל ממנו את יכולת התנועה מן האגן ומטה, ובעיקר לפי השלווה המלאה והעמוקה הזאת, שלוותו של בעל החיים המיישיר את מבטו אל המוות המתקרב.

אבא אחז בידי בסוף כל יום בתחינה קטנה שלא אלך, ואני אמרתי, אחזור מחר, אבא, והוא הרפה והשפיל את מבטו, ואני הייתי משכיב אותו על הסדינים הירוקים, וכל התפקידים מתערבבים בי, הילד הקטן הכועס על אביו, האחות הרחמנייה החומלת על הגוף הבוגד, האב החושש ממעשה הנקמה של בניו־שלו, אני – שחקן המגלם את כל הדמויות, דמות המלאה בכל שחקניה, מערבולת רגשות שאין להם דובר אחד.

מדי ערב, בטרם עליתי על יצועי בדירה ברחוב הלר, הייתי ועודני אסיר תודה לעולם על ההזדמנות שניתנה לי להתקרב אל אבי ולשוחח עמו ולבלות שעות יקרות במחיצתו, כמו שלא עשיתי מעולם, לפחות לא בגלגול הזה.

ההלוויה אתמול היתה צנועה ומעוטת משתתפים – אני, אחי ואחותי, כמה קרובי משפחה רחוקים שהכירו אותו ולא נפטרו עדיין. גרושתי־שתחיה באה בגפה, חמוצה וצוננת כתמיד, עדיין מלאת טענות וטינות על עשרות אלפי הדולרים שבזבזתי על עצמי,

בלא תכנון, בלי התחשבות, ובלי שום בושה. שני בנינו לא הספיקו
להגיע, לדעתי גם כלל לא יטריחו את עצמם אל מעבר לים רק
בגלל מותו של סבא, אבי אביהם שנוא נפשם. ניחא, כך יהיה.
אסתפק בינתיים באימייל הקצר שהתקבל מכל אחד מהם.

אחרי שקברנו אותו, ומאבא הכועס והמשפיל, אבא הגדול
והמפחיד, אבא הידען והקשיש, לא נותרה אלא תלולית עפר,
נזכרתי ברגע קטן שלנו ביחד, על כר הדשא של בית החולים
צהלון. אבא בכיסא גלגלים, משותק בחצי גופו, מיישיר מבט ספק
מרוכז ספק מטושטש, ועיניו הירוקות הולכות ומתלחלחות, עד
שדמעות ניגרות מהן על לחייו, ואני אוחז בידו הקרה, המזקינה,
ושואל, אבא, מה זה, והוא מצביע בסנטרו אל שלולית מים קטנה,
שציפור דרור אפורה, פשוטת מראה, טובלת בה להנאתה למקלחת
בוקר, מצביע על הציפור הקטנה בשלולית וממרר בבכי.

שלך,
מיכאל

[כעבור חודש]

לבן הטוב מיכאל,

עכשיו מאוחר בלילה בבסיס הכי סבבה והכי מגניב בצה"ל, עם הכי הרבה בחורות, אורות דיסקוטקים, מסעדות, בתי קפה, חיי חברה, שדרות מפוארות, עצים ירוקים, נחלים ומזרקות, כן כן, אני בשמרית, עמוק ברקטום של הנגב, בתוך בוטקה שמוארת בקושי, מוקף בהרים קירחים ושחורים, עם המ"ק פתוח על הגששים הבדואים המטומטמים.

אני כותב לך בסופו של ליל הסדר הראשון שלי בבסיס – בשנה שעברה נתנו לי לצאת הביתה אבל השנה, לא, מה פתאום, הם הרי חייבים אותי בשביל האנטנה המזורגגת הזאת, מישהו הרי חייב לצאת בשתים-עשרה בלילה ולהאכיל את הגנרטור המזדיין בבנזין כדי שהאור שלה ימשיך לדלוק, והמישהו הזה הוא כמובן אני, החייל האמיץ נדב שווייק, שהצבא פשוט חייב לטחון אותו עד כמה שאפשר, נכון?!

זה היה ליל הסדר הכי מחורפן, הכי הזוי, הכי דפוק שהיה לי בכל החיים המגעילים שלי, רק אני ושני מילואימניקים, אחד נחרן שכל הזמן נרדם על המזרון המאובק בחדר המשמר וניסר את האוויר בנחירות, והשני דוס קטן כזה, קומפקטי, בן שלושים, עם זקן שחור וגינונים של מתנחל, שכל הזמן דיבר על זיונים.

בהתחלה עוד ניסיתי לקיים סדר כהלכתו ואפילו הכנתי את קערת הפסח עם מצות, מרור, ושוקולד השחר העולה במקום חרוסת, והוצאתי הגדה של פסח צבאית כזאת עם ציורים מעפנים של כל מיני ילדים דתיים עם כיפה צחורה, והדוס מצביע על האמא בציור, איזה אחת עטופה בשביס, עם עור צח ועיניים קורנות, ובא אלי ביציאה כזאת שהוא היה עושה אותה, הוא היה מנקנק אותה, בא לו על כוס, בא לו על ציצים, ואני בקטע של, אתה מוכן להפסיק

עם זה, אני מנסה לשיר את והיא שעמדה, והדוס חוטף לי את ההגדה מהיד ואומר, לא היית טוחן אותה, לא בא לך עליה?

אחר כך, בדיוק בקטע על ארבעת הבנים, הדוס השמנמוך הרשע הזה מכריח אותי לעשות הפסקה ולשמוע אותו מספר לי איך הוא זיין בפעם הראשונה, בירושלים, ממש מזמן, זה היה לטענתו כשהוא היה בתחנה המרכזית ואישה אחת תפסה לו את הביצים ושאלה אם הוא רוצה ללכת איתה למלון, והוא עשה לה, כן, בכיף, ושם בחדר חיכתה לו להפתעתו עוד נקבה, חברה שלה, כל אחת יותר חרמנית מהשנייה, והוא ממשיך ומקשקש לי כיד הדמיון הטובה עליו איך הוא זיין את זאת ואחרי זה את זאת, וכל אחת גומרת יותר חזק מהשנייה, ולי, מיכאל, האמת, יוצאת הנשמה מהדוס השקרן והחרמן הזה ומכל המילואימניקים האפסים, האימפוטנטים, זבי החוטם וזבי הזין שמביאים לי לכאן לבסיס, כל מיני יצורים מכוערים שאין סיכוי שבחיים המסריחים שלהם מישהי הציעה להם סקס מרצונה, ואני אומר לו, אתה מוכן להעביר לי את האפיקומן, והדוס מתקרב אלי ושואל, יש לך חברה, תגיד, ואני אומר לו, תעזוב אותי, בחייך, בלי לספר לו שכבר שנה וחצי אני בלי אף אחת כי אין לי אפילו איפה לפגוש נקבות, הרי אני תקוע כל החיים שלי מול אנטנה פאלית עם אור אדום מנצנץ למעלה, אבל כדי להסתלבט עליו אני בסוף אומר לו, בטח, יש לי חברה, קוראים לה שירלי והיא גרה ברמת השרון, עשירה, חטובה, בלונדינית חרמנית אש חבל על הזמן, והעיניים שלו נדלקות והוא אומר לי, גם למטה בלונדינית? ואני אומר לו, בטח, רק בשבוע שעבר הייתי אצלה. וטחנת אותה? הוא מזיל עלי ריר. בטח, אני עושה לו, דוגי סטייל חבל על הזמן, היא מתה על זה, ואז אני דופק אותה מקדימה, מאחורה, בפה, באוזניים, בנחיריים, ועכשיו, אם לא אכפת לך, הגיע הזמן לכוס שלישית.

אם זה היה המקרה היחיד של חרמנות פתטית אז מילא, אבל הקטע המסריח הוא **שזה מה שקורה כל הזמן עם כל המילואימניקים שמגיעים לשמור כאן**, כאילו, אני כבר שנה וחצי לבד בבסיס שמרית, אני הסדירניק הקבוע היחיד זאת אומרת, וכל עשרים ואחד יום הם באים ומתחלפים, כמו עדר של ג׳מוסים מזוהמים, משמרות של מילואימניקים עייפים וחרמנים, ממיטב הגברים שהפיקה הארץ הזאת, חבורה של מפליצים, כרסתנים, חולי סקס, שבאזרחות הביצים רועדות להם מהנשים שלהם אבל במילואים, בנגב, ליד גבול מצרים, הם פתאום נעשים גיבורים גדולים וכל אחד מתפאר בכיבושים המיניים שלו, איך שהוא מזיין מהצד, ואיך שהוא טוחן נשואות ורווקות ואלמנות, ואני מסתכל על בני הארבעים האלה ולא מאמין שככה הם מתנהגים, כל המורים ועורכי הדין ורואי החשבון והאינסטלטורים ונהגי המוניות הופכים להיות עיסה אחת של חרמנות וניבולי פה שהדיבור המגעיל של דימה בכלא שש נשמע לידם כמו שירה צרופה, והתחרות שלהם בנפיחת נאדים מתעלה לדרגות אמנות בתזמון המורכב של מקצב, עוצמה וריח, ומה שהכי קורע אותי זה לגלות מה הצברים הישראלים החסונים הופכים להיות בזקנתם, חבורה של בהמות מגעילות ברמות־על, העור שלהם מקומט מהשמש, הכרס משתפלת, השיניים צהובות מקפה שחור, שֵׂער הקרקפת נסוג למפרצונים צרים וארוכים או נסיגות מלוא המצח, בקיצור מין נשורת אנושית של גיבורים בעיני עצמם שמריצים כל היום בדיחות גסות על בחורות, ערבים והומואים, זוהמה של חדלי אישים, שאני צריך לארח אחד אחרי השני בבוטקה שלי בדרום הנגב המערבי.

לא יודע למה אני בתקופה כזאת שכל המעצבנים נדבקים אלי, הכל נראה לי מרגיז ומציקני ואפילו אמא שלי מתחילה לעלות לי על

העצבים. אתה מאמין שהיא עדיין באובססיה מהקטע הזה עם דודה רבקה?

כאילו, ההורים שלי תבעו את העיזבון של המנוחה המגעילה ואז שתי האחיות המרושעות סימה ונעימה קיימו את הבטחתן והגישו גם הן תביעות על אותו סכום, וההורים שלי חשבו שזה יהיה קל, שהם פשוט יוכיחו לשופט שניתנה להם צוואה מחייבת בעל פה וזהו, יכתבו להם צ'ק על המקום – הם רק לא הביאו בחשבון את המחיר הנפשי והרגשי של המערכה המשפטית הזאת, לא היה להם מושג עם מי הם מתעסקים, כי חודש או חודשיים אחרי שהגישו את התביעה, הם נדהמו לגלות שמקומון ירושלמי נידח אחד, מין חינמון שמופץ לתיבות הדואר ועוד רגע הבעלים שלו כבר יפשוט את הרגל, מתחיל לפרסם **באופן עקבי** שורה של לכלוכים על אבא שלי, לכלוכים שאף אחד חוץ מהמשפחה הקרובה לא ידע עליהם, על פציינטית חולת רוח שטוענת שנולד לה ילד אוטיסט והלכה לעיתון ללכלך עליו, האשימה את טיפולי הפריון שלו, או איזה תחקיר שאבא שלי נוסע לכנסים ברחבי העולם על חשבון חברות התרופות, כאילו שיש מישהו שלא עושה את זה, וההורים שלי נגנבים, מתחרפנים, מי לעזאזל עומד מאחורי הפרסומים האלה, עד שמתברר להם, ממש במקרה, שגברת נעימה, הבת של רבקה, היתה במשך שנים יזיזה של עורך העיתון והוא אשכרה חייב לה טובה, ובקיצור היא, עם שמונת הסנטרים שלה, היא, עם הפסאדה הירושלמית ההגונה שלה, היא זאתי שהחליטה לנקנק את אבא שלי כנקמה על התביעה ובתור רמז עבה מאוד שכדאי לו לרדת מכל העניין. קשה לדמיין כמה רוע, כמה נקמנות, כמה רשע, מסתתרים בתוך האישה השמנה והמכוערת הזאת, שאין לדעת מה היא עוד מסוגלת לעולל. אמא מספרת שהיא כבר תקעה סכינים מורעלות לכל החברים שלה, ושהכי היא אוהבת לעשות את זה לאלה שכבר

מתו ואין להם איך להתקיף בחזרה, היא רצה לשפוך עליהם רפש פחות מחצי שעה אחרי הלוויה, פשוט **להקיא ממנה.**

ואני אומר לאמא שלי אחרי הנאום האמוציונלי עד היסטרי שלה, מאמושקה, כפרה, עיניים שלי, בחיאת דינכ, אני לא מבין אותך, למה את מתעסקת עם הנבלות האלה, ולמה כשאני כבר יוצא שבת אני צריך לראות פרצוף חמוץ ולשמוע אותך מתבכיינת על השטות הזאת, יא אללה, עברו עשרים שנה ואתם לא באמת צריכים את הכסף, אבל אז היא מזמרת לי את המילה שאין עוולה שלא נעשתה בשמה, **פרינציפ!** זה בשביל הפרינציפ! ובשביל הפרינציפ היא ואבא לא מוכנים לרדת מהתביעה, הם חייבים לקבל את המאה וחמישים אלף שקל בחזרה אפילו אם ייפלו השמים, אם יתפוצץ העולם, הם יגרמו לדודה רבקה להתגלגל בסלטה לאחור בקבר שלה, העיקר שהם, את הכסף, יקבלו!!!

לא משנה. זה כנראה הגורל שלי בגלגול הזה, בגלל איזה פשע נוראי שעשיתי בגלגול הקודם, לבזבז את החיים שלי על שטויות ועל עצבים. אתה לפחות יכול להסתכל על השנים האחרונות ולהגיד לעצמך, כל הכבוד, טיפלתי באבא שלי החולה, עשיתי מצווה, ולפני זה גם טיילתי בעולם ועשיתי היפנוזה וחוויתי חוויות, אבל אני, מה אני? המקסימום שעשיתי בשנה האחרונה היה ללכת מהבוטקה של החמ"ל לבול-קליעה ומשם בחזרה, ססססאם-אם-אמק!

הנחמה היחידה שיש לי כרגע היא הכמויות האינסופיות של פרוסות לחם שחור ושוקולד השחר העולה שמשאית האספקה מביאה לנו כל יום ראשון, פיתחתי אפילו טכניקה של הקמת מגדל של כמה פרוסות שאני בולע במכה, וזה גם נתן לי השראה לרדת במקביל על נס קפה עלית או קפה שחור חזק עם שש או שבע כפיות סוכר, ובגלל זה בטח לא תתפלא לשמוע שעליתי קצת

במשקל, כאילו ממש בקטנה, אולי איזה טאייר בסביבות המותניים, וקצת כרס משתפלת, אבל אין מה לעשות, זה כנראה המחיר הפיזי להתעללות הנפשית שאני עובר בצבא.

ועוד משהו שאני חייב להתוודות עליו זה שעם השש־בש והבהמיות של המילואימניקים מגיעות גם חבילות אינסופיות של אל־אם או מרלבורו, תלוי בטיפוס, ואחרי כמה סירובים מנומסים לא יכולתי יותר לעמוד בפיתוי, בשיעמום, בלחץ החברתי, תקרא לזה איך שתקרא, והיום, אחרי יותר משנתיים בצבא, אני, שבחיים לא התקרבתי לסיגריה, שנגעלתי מהריח והורדתי מהאינטרנט מאמרים על נזקי העישון, אני הפכתי לקטר של ניקוטין, אני מנסה כבר חודשים לרדת לחצי קופסה ביום, אבל אין מה לעשות, מיכאל, אני מפרק לפחות שתי קופסאות ביום, ויאללה, שיתהפך העולם.

מקווה שאתה מתאושש מהחוויה הקשה הזאת של לאבד את אבא שלך, אפילו שלא ממש הסתדרת איתו כשהוא היה בין החיים.

ומה קורה איתך עכשיו? מה אתה מתכנן לעשות הלאה? איתך אי אפשר לדעת, וזאת בדיוק הסיבה שבגללה אני כל כך אוהב את המכתבים שלך.

כתוב לי. בבקשה.

שלך,

נדב

[כעבור שלושה שבועות]

שלום שלום נדב, תודה על המכתב הנהדר שלך, גרמת לי להתפוצץ מצחוק וזאת בהחלט היתה אתנחתא קומית נהדרת אחרי התקופה הקשה שעברתי בחודשים האחרונים! פשוט מצחיק לראות איך אנשים מבזבזים את החיים שלהם על התמכרות לסקס כמו הדוס החרמן או התמכרות לקנאה ולנקמה כמו גברת נעימה הבלתי נעימה. לא להאמין לאן הטיפשות האנושית יכולה להגיע! שקועים בטינופת ובזוהמה רגשית, וזה בזמן שיש כל כך הרבה דברים פשוטים ויפים ליהנות מהם בחיים האלה, והם אפילו לא שמים לב אליהם!

אחרי שאבא מת החלטתי ללכת בעקבות משנתו של מהאטמה גנדי: "חיה כאילו תמות מחר, למד כאילו תחיה לנצח", וקבעתי לי יום אחד בשבוע שבו אני קם ממש מוקדם, באשמורת האחרונה, מכין לי כוס קפה שחור חזק וטוב עם שניים סוכרזית, פותח בדירתי הפתח תקוואית את המרפסת הגדולה המשקיפה אל כיוון מזרח, ומתבונן בשמים הקודרים ההופכים אט אט למוארים יותר ויותר, מתכוננים למופע היומי המרהיב והמופלא של זריחת השמש. אותה השמש שהתושבים בכפר הנידח בקוויבק חוגגים לכבודה את הפסטיבל הנהדר שלהם פעם בשנה, אותה השמש שהאירה על כל הדורות הקודמים לנו, על אבי ועל אבי אביו ועל שרשרת אבות אבותי מימי האדם הראשון. אני מביט בה מדירתי כמו הייתי בודד ויחיד בעולם כולו, נפעם מן התופעה המוזרה הזאת שמעוררת בי התרגשות כאילו הייתי תינוק בן יומו המיישיר אליה את עיניו בפעם הראשונה!

ואני מסתכל על השכנים שלי בפתח תקוה: למעלה – משורר נידח ומתוסכל המאשים את ועד הבית בגנבה מארון החשמל שלו, למטה – גברת קופיטו המאיימת לתבוע אותי למשפט על נזילה מן האדנית או מחדר האמבטיה או השד יודע מאיפה, כולה כעוסה ונרגנת, ואני

מביט בהם בהשתאות ובפליאה – איך הם יכולים להיות עיוורים כל כך ליופיו של היקום, ליופייה של הבריאה, לענני הבוקר הלבנים והאפורים הצרים צורות של חיות ושל פנים, למשחקי האור והצל בין העצים והשיחים, לכל הטוב והחסד הניתנים לנו חינם אין כסף, מרחק מבט קצר, נגיעה קלה, איך הם מתעלמים מכל אלה ומעדיפים במקום זה להתבוסס בטינופת וברפש של טרדות היום־יום?

אני יודע שבסוף חייו של אדם, על ערש דווי, לא נותר לו דבר, לא בריאות ולא מעמד, לא כסף ולא כבוד, רק מה שנתן ונטע בנשמתו, התובנות שנתן לעצמו במתנה, חוכמת החיים שנטע בנשמתו, ועם אלה הוא ממשיך הלאה, אל העולם שמעבר, חכם יותר, מפויס יותר, ואם לא עשה זאת ימשיך להתגלגל לנצח נצחים.

אני גם יודע, בזכות אוולין, שאבי ואמי עליהם השלום אמנם נפטרו, אבל גם נמצאים איתנו וצופים עלינו, נשמותיהם מרחפות אי־שם למעלה למעלה, באותו מקום שבו פוק פורץ בצחוק פראי, ומלאכים מתעופפים בין קונכיות ספירליות ופרחי ענק צבעוניים. אבא היקר שם, מהרהר בחוכמת הרמב"ם. ואני, עדיין (לא לעוד זמן רב!) מצדו האחר של הנהר השחור, מן העבר השני של המוות, מתבונן בדרורים שהשכימו קום עם הזריחה, ובתוכים הירוקים, האקזוטיים, שברחו משביים ועכשיו מקשטים את רחובותיה של פתח תקוה, אני מביט על הכל, מלטף את פרוותו הכתומה, הסמיכה, של סימבה אהוב לבי, שותה את מי הברז ומתענג על כל לגימה, שואף מלוא ריאותי את אוויר השחר העולה, הזך עדיין משאון היום ומפיח האוטובוסים העירוניים.

את היום אני מקדיש לדברים החשובים באמת בחיים: אני הולך לאיבוד בשכונה שלא הכרתי, או פותח בשיחה עם כל אדם שישי ברחוב, או מפעיל את ממטרות ועד הבית ורץ יחף על הדשא, או ממלא צנצנות זכוכית במסטיקים עגולים צבעוניים, ובערב, על

אותה מרפסת, אני מרים כוס של יין אדום אל הירח הביישני, הצהוב, הקורץ אלי מעל העיר, ולאט לאט מתגבשת בי ההחלטה לצאת שוב למסע בעולם, אולם הפעם בדרך אחרת, חכמה יותר, לא מתוך גחמות של בזבזנות ופאר וראוותנות, לא אל מפתנם של מלונות פאר ומסעדות יוקרה, אלא בדיוק להפך. אם אפשר, כמו נווד או תרמילאי, כמו אדם צעיר היוצא אל מסע השחרור שלו אחרי הצבא, מסע פשוט כמו הלחם השחור האחיד וריבת תות השדה שאני אוכל עכשיו במרפסת הפתוחה אל השמים.

למעלה, בין ענני הבוקר הלבנים, אני רואה עשרות כדורים פורחים, גדולים וקטנים, הם מרחפים ודואים מעל גגי השיכונים ואנטנות הטלוויזיה ודודי השמש, ומלאכים וילדים צוהלים תלויים שם, בין שמים לארץ, זורקים אל רחובותיה של פתח תקוה סוכריות צבעוניות ומנשרים משורבטים על נייר ורוד, בכתב יד ילדותי, קוראים לי להצטרף אליהם ולעוף למעלה, למעלה, רחוק, רחוק, וצחוק קטן ושובב, צחוקו של פוק, עולה מתוך בית החזה.

ענפי הפיקוס שברחוב מציירים לי ברוח הקלה את תווי פניו הזקנים והקמוטים של אבא, ומכאן אני יודע שנתן לי את ברכתו, שהדרך פנויה, ורק היעד נותר חידה.

■ ■ ■

[כעבור ארבעה ימים]

שלום שלום נדב, הבחירה נפלה מעצמה ובטבעיות רבה – אני בברצלונה! לראשונה בחיי! ומרגיש כאילו הייתי כאן תמיד, כאילו תמיד ישבתי בטאפאס־בר והזמנתי גלילה של בייקון בתמר לח! כאילו תמיד לגמתי קאווה! כאילו תמיד התהלכתי בין אמני הרחוב

והליצנים וחבורות הכייסים של הראמבלה, כאילו תמיד רקדתי עם המקומיים את הריקוד הקטלוני המצחיק שלהם!

לקחתי מזוודה קטנה מאוד שאיתה אני מיטלטל מאכסניה לאכסניה, מתקלח במקלחות משותפות, קושר שיחות עם טיילים ונוודים, לרוב צעירים אבל ביניהם גם מבוגרים וקשישים המנוסים במלאכת הטיילות, שלימדו אותי כי הפשטות שבצמצום היא הדרך הטובה ביותר ליהנות מאוצרותיה ומתרבותה של ארץ אחרת. אני משוטט כבר שלושה ימים ברחבי ברצלונה בלי להוציא יותר מעשרים יורו במשך היום, ועוד חמישה־עשר יורו על לינה בלילה, ועושה חיים משוגעים!

בכוונה לא לקחתי איתי צ׳קים ולא כרטיסי אשראי, אלא רק חמשת אלפים יורו במזומן שאמורים לסדר אותי לשלושת החודשים הבאים באירופה, כולל נסיעות, אש״ל ואולי איזה פינוק מדי פעם.

לקח לי קצת זמן אבל למדתי איך לחסוך בעלויות: אני קונה לחם וגבינה, כמה פירות, עגבניות ומלפפונים בסופרמרקט קטן ליד האכסניה, ונוסע במטרו או באוטובוס, ונהנה מן האתרים שהעיר מציעה חינם בנדיבות רבה כל כך, כמו פארק גואל! הראמבלה! הבניינים המצועצעים והמשוגעים של גאודי!

הבוקר, בשוק בוקרייה המקורה, אחרי שהסתכלתי מעולף ומזועזע על השרצים והשרימפסים והתמנונים החיים בדוכן פירות הים, רציתי להשיב את נפשי ועל כן התפתיתי לחרוג מן התקציב היומי הדל ולהתפנק במשקה סחוט מדוכן משקאות הפרי. הגברת הספרדייה הנחמדה מזגה לי מיץ קוקוס בכוס חד־פעמית עם קשית שחורה תמורת שני יורו בלבד – אבל איזה תענוג! הצבע הצחור, הטהור של הפרי! המרקם השמנוני! והטעם האלוהי – מזמן לא נהניתי כך מכוס משקה סחוט ובקושי התאפקתי מלקנות לעצמי עוד כוס אחת מכל המבחר המדהים שהיה שם. הצמדתי את הפאוץ׳

אל מותני מפחד הגנבים ומאילוצי התקציב, ומיד נזכרתי בנחת מהולה בטינה איך שילמתי בטיול הקודם, בטורונטו, 22 דולר על משקה פינה קולדה דלוח וסינתטי, **עשרים ושניים דולר למען השם**, שלא סיפקו לי אפילו עשירית מההנאה החושית של כוס הקוקוס בשוק של בוקרייה!

אני כותב לך עכשיו מאינטרנט קפה סמוך לאכסניה המהוגנת שבה אני לן – נקייה, צנועה, עושה את העבודה – לא רחוק מכיכר קטלוניה, ובא לי לשיר, בא לי לרקוד, בא לי לשמוח על המזל הטוב שהביא אותי אל עיר הנמל המתוקה הזאת, עם הספרדיות דקות הגזרה הלבושות בטוב טעם ועם האוכל הנהדר בכל מקום. אני מצטער כל כך על שהספרדית לא שגורה בפי, רק למדתי להגיד אוֹלָה לנהגי האוטובוס חמורי הסבר כשאני מפקיד בידיהם את המטבעות לנסיעה ליעד הבא!

האטרקציה המרכזית של הביקור שלי בברצלונה עד עכשיו לא היתה שכיות החמדה הארכיטקטוניות שלה, אלא דווקא מפגש מקרי בהחלט, בשעת צהריים, כשירדתי בתחנת המטרו הלא־נכונה ומצאתי את עצמי בסבך סמטאות שוממות ומוזנחות בחלק לא מוכר של העיר.

כשניסיתי לסוב על עקבי שוב טעיתי והתבלבלתי, עד שנתקלתי למרבה המזל בצועניה טובת מראה, מטפחת צבעונית לראשה ושמלה שחורה ופשוטה לגופה, ושאלתי אותה איך אוכל לחזור אל מרכז העיר, אל המטרו.

היא ענתה לי להפתעתי באנגלית מושלמת, במבטא בריטי מהוקצע, אגלה לך בשמחה אם תסכים שאקרא את עתידך בשמן ומים. שאלתי, כמה, והיא אמרה, כבר נסתדר, ובאישוניה ברקו שמחת חיים ועליצות עד שלא יכולתי אלא להתפתות ואמרתי, תודה, כן, למה לא.

היא הוליכה אותי אל דירה קטנה וחשוכה והושיבה אותי ליד שולחן ומילאה כוס במים ושפכה מעט שמן פנימה, ומול הצורות האקראיות שנוצרו בפניה התחילה לדבר בשטף. כל בני האדם חיים את חייהם מינקות לזקנה, אבל אתה בחרת אחרת, נולדת זקן וכבד ורציני ועכשיו אתה מגלה את יצר ההרפתקנות והמרדנות שבך, אתה, היא הביטה בריכוז ובסקרנות היישר אל תוך עיני, עומד כרגע על הגיל המנטלי של עשרים, ועם השנים הבאות זה ילך ויקטן. אתה כרגע צעיר כלוא בגוף של גבר זקן. הנה הפנים היפות, החלקות, הצביעה אל אחד הכתמים הצפים על המים, הנה שרירי הזרוע החזקים, וכאן השנים הבאות, אתה לומד לשכוח את כל השקרים שנחרטו בך ומתקדם אחורה, מהזקנה אל הינקות, אל הפליאה ואל התום.

תסתכל על הציפור הזאת, הצביעה על כתם שמן מוארך וצהוב שצף בתמימות בתוך כוס הזכוכית, אתה מתחיל לעוף כמו נשר אל השמים, אתה עוזב את הקרקע שלימדה אותך הכל ולא לימדה אותך דבר.

ישבתי נדהם מול שטף הדברים. מעולם לא ראיתי את עצמי כמי שנולד זקן ורציני, ובכל זאת הרבה אמת היתה באבחנה הזאת. החיים בצלו של אב שתלטן, כעוס, ואמא שמתה בצעירותי, ואחר כך הקריירה המשפטית הארוכה, הפקידותית, החיים לצדה של אישה שנעשתה נרגנת יותר ויותר, אלוהים אדירים, כתמי השמן האלה שיקפו את כל סיפור חיי.

אמרתי לה, מי את, מה שמך, והיא אמרה בצחוק, פיפיקה, נעים מאוד, ואחר כך שוב הרצינה ואמרה, אתה יודע רק מילה אחת בספרדית, אבל אני אלמד אותך מילה נוספת שהיא החשובה מכל, גרסיאס, תודה. עליך להכיר תודה ליקום שהביא אותך למעוף הזה, רק מעטים מבני האדם מגיעים אליו!

אמרתי, גרסיאס, גרסיאס, והודיתי למזלי הטוב על הטעות במטרו, ושילמתי לה בשמחה את עשרים היורו שביקשה ממני, והוספתי לה גם טיפ נדיב, והיא אמרה, אתה יכול להישאר לארוחה אם תרצה, ועניתי, אולה, גרסיאס, והיא ערכה לפני שולחן של טוב וחסד, אורז לבן, מתובל בצ׳ילי ובפלפל שחור, ולצדו ירקות נימוחים וחריפים, אפויים בתנור.

דיברנו בעניין על החיים, החיים בכלל והחיים שלה, שלי, שלנו. היא סיפרה לי שאביה היה דיפלומט אנגלי שהתאהב באמה הצועניה, אבל סיפור האהבה לא צלח את הבדלי המנטליות והם נפרדו כשהיתה בת עשר. עד אז ספגה ממנו את המבטא הבריטי המקסים והמעודן שלה. צחקנו שנינו על צירופי המקרים המוזרים של החיים האלה, והכל היה טעים ונפלא ומוזר, עד שכמעט התפתיתי לבלות שם את הלילה (אבל בסוף חזרתי כמו ילד טוב לאכסניה).

שלך,
ברגשי הוקרה ותודה על חברות האימיילים הנדירה שלנו,
מיכאל

[כעבור חודש]

אולה מיכאל,

מה לא הייתי נותן כדי להיות איתך עכשיו בברצלונה עם הטאפאס-ברים והחתיכות הספרדיות, מה ברצלונה, אפילו על באר שבע הייתי מתפשר, על השוק הבדואי במקום בוקרייה, איזה פאטמה קוראת בקפה במקום פיפיקה הקוראת בשמן, את העתיד המסריח הייתי מוכר בשנייה, את הבתולים של האקסית שלי הייתי נותן, הכל – רק לא להיות כאן, לא להיתקע במקום הזה, לא לסבול את הניאנדרטלים שאני מוקף בהם, לא לשמוע את זמזום הגנרטור ולא לראות את נצנוץ המנורה האדומה על ראש האנטנה!!!

אני כבר בשנה האחרונה של השירות הצבאי שלי – "נגעתי בקיר", כמו שאומרים כאן – אבל אני יכול להישבע לך שלעולם לא אצליח להבין באמת את הראש הצבאי, את הטמטום הזה בכל מקום – וככל שהטמטום עמוק יותר, מספר הארונות על הכתף גדול יותר – את הבירוקרטיה האינסופית, טפסים על גבי טפסים, עדרים עדרים של פקידי שלישות רכונים באפס מעשה על ניירות עם חותמת ה-צ' הענקית, ובעיקר אני לא מצליח להבין את השרירותיות הזאת בכל מקום, כאילו, קפקא זה כלב ליד מה שקורה פה. פתאום נפלה החלטה, סתם ככה, מהשמים, והופ, אתה מוקפץ לבט"ש בעיר העתיקה בירושלים, או שאתה צריך לשמור על ילדים מאלקנה בנסיעה לחוג אוריגמי, לא יכול עם הטרטורים האלה, זה חופר לי בשכל, זה מזיין לי את המוח, כאילו די כבר, די כבר, די.

אני בעיקר רותח מזעם עכשיו על הקטע המסריח האחרון שהיה לי עם רשויות הצבא, כאילו לא הספיק לי החרא שנציב קבילות חיילים האכיל אותי. העברתי בקשה בצינורות המקובלים לקבל כסף מרשת א' על התסכיתים שלי, אני אמור לקבל חמש מאות שקל לכל פרק,

שבשביל חייל דלפון כמוני זה הרבה כסף, והם כמה שבועות מזמזו את זה מפקיד לפקיד. הייתי צריך למלא טופס ולהעביר למש"קית ת"ש בבסיס צ' והיא העבירה את זה לקצינה שלה והיא העבירה את זה למדור חוגרים בבקו"ם ולמדור שלישים בג'לג'וליה, ובקיצור הבקשה העלובה שלי חזרה לבסוף אחרי מסע בין שלושה בסיסים וחמישים קצינים, קצינות, נגדים, מש"קים ומש"קיות, עם תשובה קצרה ומכובסת, כאילו אני לא בן אדם עם רגשות וחושים ושערות על הידיים, אלא רק מספר אישי שבקשתו "נשקלה אך לא תיענה בחיוב", בהתאם להוראה "האוסרת על עיסוק בתשלום במקביל לשירות החובה", פקודת מטכ"ל מספר כוס־אמ־אמ־אמממו.

אחרי זה הלכתי לישון בבסיס שמרית עם הרבה עצבים ומועקה בלב על המטומטמים האלה שם למעלה שמכריחים אותי לבזבז זמן יקר בלי לעשות כלום, וכשאני כבר מוצא משהו שנותן לי סיבה קטנה לחיות ועל הדרך, כן, זאת לא בושה, להביא גם כמה ג'ובות, אז לא, הם לא מאשרים לי, כאילו, מצדם שאני איחנק בטונות של השחר העולה שהם שופכים עלי.

הדבר הטוב שיצא מכל העניין היה שחלמתי עליך מיד אחרי התקרית המעצבנת הזאת. באותו לילה קמתי לעליית משמר בשש בבוקר והחלום היה כל כך ממשי עד שהתפלאתי מאוד לגלות שהבסיס הספק־נטוש וההזוי של שמרית הוא המציאות, זה היה פשוט בלתי נתפס, כי בחלום שממנו התעוררתי דקה לפני כן ראיתי את עצמי כרגיל נטחן בשמירות, יושב כמו כלב בעמדת התצפית שמשקיפה על הר טרשים קירח, ואז מישהו קורא לי מהחמ"ל, זאת היתה באופן טבעי האקסית שלי, היא אמרה שזה דחוף וייצבה את המשקפיים שלה שהחליקו לה קצת על החוטם, וכשהתקרבתי לשם אמרו לי לעלות על הסולם, ואני עולה ועולה, מין סולם חבלים כזה, מתנופף ברוח, ואז מגיע אל כדור פורח שתלוי מעל הבוטקה, כדור

פורח קטן וצבעוני, שעל פי התנודות שלו מצד לצד נראה להוט מאוד לצאת אל המסע, ויש שם סלסילת קש עם בקבוק יין ומיד אני יודע שזאת בעצם מתנה ממך, ואז הם עומדים שם כולם, למטה, אמא, ודימה, וטלי, ומהנא, כולם מנופפים לי לשלום ואני מחזיר להם נפנוף שובב ומשחרר את החבל ואז, בכוח האוויר החם, הכדור הפורח ואני פשוט ממריאים לגובה, אלוהים אדירים, ההרגשה פשוט מדהימה, זה טוב יותר מכל הזיונים שאי־פעם היו לי, אנחנו, אני והכדור, פשוט פולחים את ענני הנוצה הקלים ועולים למעלה, למעלה, גבוה, גבוה, ועפים מעבר להרים, מעבר לים, ולרגע לא עולה בי החשש שמא ניסחף למצרים או לערב הסעודית ומישהו אולי יירה בנו, אלא להפך, אני מגלה שהכדור הפורח יודע לכוון את הנתיב שלו לפי המחשבה שלי, וכשאני חושב על פריז אנחנו שם, מתקרבים אל השפיץ של מגדל אייפל ומפספסים אותו במילימטר, ואז איתן מ׳, המילואימניק התורן, איזה מובטל אחד משכונת עוני בחולון שלטענתו נותן בראש לבר רפאלי, משך לי את השמיכה והעיר אותי ליום החדש, ועד עכשיו אני לא יודע, אין לי מושג כאילו, האם שמרית ההזויה עם המילואימניקים הסהרוריים שלה היא המציאות, והכדור הפורח שלוקח אותי לעיר האורות הוא הדמיון, או שבדיוק להפך, ואיך אפשר להיות בטוחים בכלל שעכשיו, כשאני כותב לך את המילים האלה, אני לא שטוף בעצם בחלום בתוך חלום, ואולי גם יותר מזה, אולי גם אני בכלל לא קיים אלא רק בתודעה של מישהו אחר? ואם, כמו שאתה מספר לי, יש בעולם הזה מלאכים ונשמות (גם אם לא רואים אותם), איך אפשר לדעת מה קיים ומה לא קיים?

בחיי שלפעמים בא לי לקחת קורס בפילוסופיה באוניברסיטה הפתוחה.

■ ■ ■

[כעבור ארבעה ימים]

הי מיכאל, שלום שלום, אתה לא תאמין! היה לי השבוע שיחוק אדיר, כביר, מדהים!

הכל התחיל מזה שביום רביעי בצהריים, פתאום, בלי שום קשר לכלום, התחיל לי כאב מה-זה חזק בשיניים, פשוט בער לי בטירוף, כאילו מישהו לקח לי את השן הטוחנת וסובב אותה נגד כיוון השעון, בהתחלה חשבתי שאני אולי מדמיין את זה, אבל הכאבים היו אשכרה חזקים עד שהתחלתי להיאנק, להיחנק, לגנוח, לצרוח, כל הרפרטואר של חולה בהיסטריה, והמילואימניקים התורנים, האיתן הדפ"ר ההוא שמסתמס לטענתו עם בר רפאלי, ועוד איזה מוטי אחד, מנוול שלומד לבחינות הלשכה של עורכי הדין כאילו שאין מספיק מניאקים בארץ, הרימו טלפון לבסיס-האם ודיברו עם העוזר של שלומי (לא להאמין, אבל הדפוק הזה מחזיק עכשיו פלוגה של מלקקי תחת במשרה מלאה) ואז התקבלה ההחלטה להקפיץ רכב שייקח אותי לבדיקה במרפאה, ואני כל הזמן בקטע של בטח נפלה לי סתימה או משהו כזה וכמו שאני מכיר את החובשים הצבאיים הם ייתנו לי אקמול וישלחו אותי בחזרה לשמירות, אבל הכל יצא בדיוק הפוך ממה שציפיתי, במרפאה נתנו לי משככי כאבים אבל אמרו שאני צריך להגיע לחר"פ בצריפין בהקדם האפשרי כי כנראה יש לי איזו בעיה רצינית, ואז, למחרת, עם אור ראשון, התחיל מסע הזוי, דפוק, סוריאליסטי, שבו אני תופס טרמפים לבאר שבע ומשם בדרך-לא-דרך אל שער ירושלים של צריפין, ובין טרמפ לטרמפ, אחד עם נהג ערבי של משאית זבל, השני עם פצצה בלונדינית שנהגה כל הדרך ברגליים יחפות לצלילי רוק כבד, בכל הטרמפים האלה אני לופת את הלסת שלי מרוב כאבים בקטע של מה קורה כאן, בחיים לא היה לי דבר

כזה, אני דווקא מאלה שמצחצחים שיניים כל לילה, ואפילו די
נחרדתי לראות איך המילואימניקים השמנים והזקנים האלה לא
מעבירים חוט דנטלי, אז מאיפה מגיעים לי הכאבים הנוראיים
האלה?!

וכשהגעתי לחר״פ סוף סוף הייתי כבר על הפנים, על הקרשים,
החניכיים שלי היו נפוחות, זה היה כאילו מישהו תוקע לי מקדחה
ישר בתוך הפה ומעביר אותה בספירלה אל תוך המוח, והתבאסתי
לאללה לגלות שיש שם המון חיילים, כל מיני ג׳ובניקים מהקריה
שסידרו לעצמם בדיקת שיניים על חשבון הצבא, אבל בגלל
שסימנו אותי כמקרה דחוף נכנסתי בין הראשונים אל איזו מרפאה
עלובה, מרוהטת בפשטות, עם דיקטים ירוקים כאלה, והמון
טפסים ועותקי טפסים, ומכשור רפואי שנראה כמו משהו משנות
השבעים, היישר לזרועותיה של חיילת חמודה, מחוצ׳קנת כזאת,
איזו עתודאית שעשתה את טעות חייה ואחרי לימודי רפואת
שיניים עוד תבלה משהו כמו שבע שנים במטחנת הבשר של
החר״פ, אבל היא היתה דווקא בסדר, רגועה כזאת, למרות
שהספוגיות שהיא הוציאה עם המלקחיים מהפה שלי היו מלאות
דם. היא אמרה לי על ההתחלה שיש לי שן בינה כלואה שהם יהיו
חייבים להוציא מיד, ובחיי שהייתי צונח מעולף מרוב אימה על
המקום אלמלא המשך המשפט שלה, **שאני אקבל אחר כך שבוע
של גימלים בבית!!!!!!!!!!!**

אז עכשיו אני בדרך הביתה עם שן בינה עקורה, בטרמפ עם איזה
רב־סרן כעוס שעצבני על זה שהוא חייב כל יום להכניס לרכב
הצה״לי שלו כמה סדירניקים, אני דחוס כרגע במושב האחורי עם
שני לוחמי גולני מסריחים במיוחד עם מחסניות בהצלב, אבל לי לא
אכפת, תמיד אמרו עלי שאני לחוץ בית, לחוץ אמא, מת להיות
בחדר שלי, וזה אשכרה נכון, ולקבל את זה ככה פתאום זה פשוט

מדהים, זה פשוט נפלא, זה פשוט בלתי נתפס! וזה גורם לי לחשוב שאולי לא הכל גרוע כל כך, ומי יודע, ברגעים לארג׳ים במיוחד אני חושב שאולי אפילו יש אלוהים.

■ ■ ■

[כעבור שלושה ימים]

הי מיכאל היקר, אף אחד לא נהנה בחיים שלו מכאב שיניים כמו שאני נהנה בימים האחרונים, זה מדהים! אפשר להגיד שבאיחור אופייני גיליתי משהו חשוב על הצבא, וזה כמובן העולם הקסום של הגימלים, ואפילו לא הייתי צריך לשקר בשביל זה, השן בינה היתה אשכרה כלואה ליד השן השכנה שלה והיה צריך להשפריץ הרבה דם כדי להוציא אותה החוצה, אבל למי בכלל אכפת? העיקר שאני בחוץ, אני באזרחות, אני בבית!

קודם כל, אמא ואני השלמנו חסך עמוק שהיה לנו בזמן איכות של אמא ובן, ישבנו ביחד כל הלילה, אני עם תחבושות על החניכיים והיא עם רולים על השיער, וריכלנו על כל המשפחה, הרצנו קטעים על השכנים, העלינו זיכרונות מהילדות, ואת הכל ליווינו בצחוק מרושע וצווחני ששנינו אוהבים להתגלגל בו ביחד, אני אומר לך, מיכאל, ובאופן חגיגי, האמא הזאת היא הדבר הכי נפלא שקרה לי בחיים, אנחנו פשוט באותו ראש, היא פשוט יפה ומושלמת בעיני אפילו שעור הפנים שלה מקומט לגמרי והעיניים קצת פוזלות, לי זה לא אכפת!

והקטע היה שפתאום, כמעט בפעם הראשונה בחיים שלי, לא הייתי צריך לעשות שום דבר מיוחד כדי להרגיש מאושר, אתה מבין את הקטע, מיכאל? רק מלא להיות בכלא המצחין הזה שנקרא

שמרית, רק **מלא** להיות על מדים, רק **מלא** להסריח מהצחנה של גרבי הצבא האפורים, רק מזה הייתי שטוף בגלים של אושר טהור, ולא הייתי צריך לבלוע שוקולד או לרדת על שוט וודקה או לעשות ביד (למרות שבסוף עשיתי את שלושתם), הייתי פשוט בעננים, מרוגש ומסופק בכל תא מתאי גופי, וכשאמא הקפיצה אותי לקניון מלחה כבר לא יכולתי להתאפק, פשוט התחלתי לרקוד לקול צלילי הפרסומות, זה הקפיץ לי את התחת ובכלל לא התחשק להפסיק, ובעזרת השם, מיכאל, אם ייפלו עלי עוד כמה בעיות בריאותיות, חמורות מאוד אם אפשר, אז אני מסודר לכל יתרת השירות שלי וזין בעין על כולם!

[כעבור חודש]

שלום שלום נדב, ברכות על כאבי השיניים וכמו שביקשת, כן ירבו!

אני בינתיים נסעתי מברצלונה ואחרי כמה טרמפים מפוקפקים אני כאן, בלב לבה של נסיכות אנדורה, מדינה עצמאית השוכנת לה בדד בין העמקים והפסגות של הפירנאים המזרחיים, בין ספרד לצרפת.

הגעתי לכאן לפני יומיים, אל רחובות צרים והומי אדם המוקפים הרים גבוהים. בכל מקום הציעו לי לטעום ולקנות מהברנדי המקומי, באמת מהמזוקקים והמשובחים שטעמתי מעודי, וקניתי בקבוק ועוד בקבוק בדרכי אל מחוז חפצי, עיר הבירה Andorra La Vella, שהגעתי אליה באוטובוס, במחיר התקציב היומי שלי ללינה. הצעתי ברנדי גם לשכני לספסל באוטובוס, תייר יפני שאיבד את הקבוצה שלו ונראה אבוד למדי, שלבסוף התרצה והסכים להחליף את הסאקי המסורתי בקצת אלכוהול מקומי.

בקיצור, נדב, כשכבר הגעתי אל עיר הבירה הייתי שתוי למדי אבל נחוש להגשים את חלומי ולעמוד על מפתנו של בניין הפרלמנט העתיק ברובע הישן של העיר הקסומה. חציתי את הנהר רחב הידיים ופילסתי דרך בין התיירים הצרפתים כשאני משסה בהם את שתי המילים הקטלאניות היחידות הידועות לי, אולה וגרסיאס. כשהגעתי אל הכניסה של בית הפרלמנט לקחתי עוד שתי לגימות מבקבוק הברנדי השתוי עד כדי חציו, נעמדתי על קוביית אבן שעליה ניצב איזה פסל של גנרל היסטורי נשכח, והודעתי בקול רועם, בתערובת של אנגלית, עברית והרבה גיהוקים, שבזה הרגע, לנוכח השחיתויות הרבות בנסיכות הזעירה, חוסר היכולת לקשור קשרים דיפלומטיים משמעותיים עם מדינות העולם, ושורה ארוכה של ליקויים ופגמים, אני **מכריז בזאת על עצמי כמלך הנסיכות,**

ודורש מכל נתיני אנדורה ציות מלא! תשלום מסים! גיוס חובה! וכן אני דורש מכולם לקרוא לי מהיום והלאה אך ורק בשמי החדש, **המלך מיכאל הראשון נסיך אנדורה.**

עוברים ושבים הביטו בי בתמיהה, חלקם אולי שקלו להזעיק את המשטרה או, כיוון שטיפסתי על ראשו של הגנרל המפוסל, את שירותי הכבאות. התגובה הרופסת מצד ההמונים הנבערים מדעת לא ציננה את התלהבותי, בדיוק להפך. נקשתי בבקבוק הברנדי המלא־למחצה על לחיו המתכתית של הפסל ודרשתי את תשומת לב כל הנוכחים להודעה החשובה שאני עומד להשמיע, והיא שאני מכריז בזאת מלחמה על צרפת וספרד, שבחוצפתן קנו להן לפני כמה מאות שנים ריבונות משותפת על נסיכות אנדורה, וכדבר הזה לא יהיה, עד טיפת דמנו האחרונה נילחם בהן להסיג אותן מארצנו, שיחזרו אל מעבר לפירנאים, כי מלכותנו, המלכות הקטלונית, היא זו שתמלוך כאן לעד.

כמה נערים חמומי מוח שהיו עסוקים עד אותה שעה בתגרה זקפו אֶת אוזניהם אל מול הצרחות והגיעו להקשיב למלך החדש, וכאות לכניעתם המוחלטת לריבונותי הסכימו להשתטח למרגלות הפסל ולקרוא, יחי מיכאל הראשון נסיך אנדורה, יחי! יחי! יחי!

נדבי, רק בנס לא נזרקתי לכלא על ידי כוחות השיטור של הנסיכות הקטנה. מתברר שאישה זקנה, שאולי כבר ראתה תימהוני או שניים בחיים שלה, שכנעה אותי מבעד מסך אדי האלכוהול שסימם את ראשי לרדת מן הפסל והכניסה אותי אל המיטה הרזרבית בדירתה הקטנה והנאה.

בכל זאת, ההרגשה הזאת, להיות מלך לחמש דקות, למשול על רחבי הנסיכות האירופית, להיות האדם שאליו נשואות כל העיניים, נסיך, רוזן, דוכס, אציל אמיתי מורם מעם, ההרגשה הזאת, נדב, היתה פשוט אלוהית, ועכשיו אני יכול להבין את דברי הימים

וההיסטוריה, את כל המאבקים העקובים מדם לשבת על כס השלטון, להוביל את האומה, לסחוף אחריך את ההמונים. בחיי, הייתי דיקטטור לרגע ולמרבה הפלא נהניתי הנאה צרופה!

■ ■ ■

[כעבור שבוע]

אני עכשיו בצרפת הכפרית, השלווה, הציורית, זאת שלא הייתי בה מעולם, צרפת של חולבי העזים ובוצרי הענבים, יצרני הגבינה ומבקבקי היינות. כמעט בלי לשים לב אני הופך לצרפתי בעצמי. זה לא כל כך קשה, פשוט צריך למלמל אנגלית במבטא ישראלי ולהוסיף אנפוף קטן בסוף כל מילה וגם איזה Ah bon רב חשיבות באמצע, ועם בגט נצחי ביד ומבע פנים קצת חמוץ ומחוספס אני מצליח להסתדר לא רע, אף שאוצר המילים שלי מסתכם בסך הכל בעשרים מילה (לא כולל מספרים מעל עשר, הם ממש משוגעים בקטע הזה), וכל השאר הוא פשוט bavardage!

תחנתי הראשונה בצד הצרפתי של הפירנאים היתה עיירה קטנה ששמה Foix, ובפתחה מה שהשתוקקתי אליו בתקופת מלכותי הקצרה באנדורה – שוק איכרים עם דוכני נקניקים מעושנים, פירות וירקות טריים, והכי חשוב: גבינות צרפתיות מעלות עובש ומסריחות עד כמה שאפשר!!!

מיד ניסיתי את קסמַי על אישה כבת שבעים ששמה מארי, שעמדה מאחורי דוכן גבינות והציעה ממרכולתה. עם קצת אנפוף והרבה מימיקה (או כשמה המקומי: mimiques) הצלחתי להסביר לה שאני מעוניין מאוד להטיס לארץ מדברית רחוקה מבחר של גבינות דליקטס. מארי הבינה את כל גחמותי ונתנה לי לטעום על הסכין

פרוסות עבות של הגבינות שהיא מייצרת, ועטפה את הרוקפור והקממבר והברי בניילון נצמד לצורך מסע ארוך בדואר אוויר לבסיס הכי שומם בצה"ל, עם איזה בונוס קטן של גבינת עזים רכה, מתובלת בקצח ושומשום. ואני, מאושר ונלהב כל כך מן הנדיבות הפשוטה הזאת, מסרתי לה ולבעלה האטי מעט שני שטרות של חמישה יורו כל אחד – הטיפ הגדול ביותר שנתתי בימי חיי, אם מחשבים באחוזים מהתקציב היומי העומד לרשותי!

אבל להפתעתי המוכרים הצרפתים בשוק האיכרים מחו על הג'סטה הנדיבה ב-Non החלטי, סירבו בתוקף לקחת את התשר, אפילו כמעט נעלבו, והחוו בידם תנועה על הלב כדי להגיד שהכל מאהבה, מחדוות העשייה של הגבנים באשר הם, ואחר כך שפשפו את האגודל באצבע לרמוז שהם נרתעים מחמדנות, זאת בשבילם הקללה הגדולה ביותר, ואני, שניסחתי כתבי אישום נגד אנשי עסקים נלוזים, תאבי בצע, בפרקליטות מחוז מרכז, חשבתי לעצמי, לעזאזל השמיני, איך לא פגשתי את צמד האיכרים האלה, מארי ובעלה האטי, לפני עשרים, שלושים, ארבעים שנה? הלוא זה היה משנה את כל מסלול חיי!

והרגשתי משיכה עזה אל שניהם, משיכה של אדם אל טבע בריאתו, וביקשתי בצרפתית המגובבת והמקושקשת שלי, עם קצת בונז'ור וקצת או־לה־לה, להישאר איתם קצת, אולי יש להם חדר להשכיר ללילה, והם אמרו שלא, אבל שישמחו לארח אותי בחינם, כמיטב הכנסת האורחים הצרפתית שעליה לא שמעתי מעולם, ופתחו בפנַי את ביתם ללא תמורה אך שמחו להצעתי לעזור להם בעבודות הגיבון שלהם.

ביומיים הבאים, מהקסומים בכל חיי, קמתי איתם בחמש לפנות בוקר לקול קריאת תרנגול החצר בעל הכרבולת, נשאתי בשמחה את הכדים הכבדים, עזרתי למארי לערבב את המחמצת עם החלב

המפוסטר, סחבתי את כד מי הגבינה שהופרדו בעמל מן הגבינה בהתהוות, והכל נעשה ללא דיבור, בתנועות ידיים קצרות, שמקפלות בתוכן את כל המשמעות.

אני כבר יודע שהמילים בעצם מועלות בתפקידן, לרוב הן מזוהמות בשקר או בהעמדת פנים, בעוד שהתנועות וטון הדיבור הם האמת לאמיתה, וכשמארי טפחה על שכמי בשש בערב, ידעתי שהיא מרוצה ממני באמת ושמחתי מאוד, למרות הכאב בגב התחתון והידיים המיובלות מעבודות סחיבה וסבלות!

עכשיו אני שוכב מדושן עונג על המיטה שהציעו לכבודי, אחרי ארוחת מלכים של עשרות סוגי גבינות מדהימות, מיושנות לעילא ולעילא, מסריחות כל הדרך עד הקוטב הצפוני, וחושב ביני לביני על כל התכונות הטובות שקיימות בי, עמוק בפנים, כל האהבה והשמחה והאור שהקפדתי תמיד לסגור בטריקה מאחורי דלת עבה, אבל למה? מתוך חשדנות? מתוך פחד? מפני שנכוויתי פעם מאידיוט חולף? בגלל הבוז שהייתי מעורר אצל הציניקנים או הרברבנים? לא חבל?!

■ ■ ■

[כעבור ארבעה ימים]

אני נוסע עכשיו ברכבת מטולוז לבורדו (בא לי לשכב מבוסם מיין בין ערוגות פרחים) ומשחק כל הדרך, בלי לגלות לאף אחד, דום שתיקה עם עצמי, וזה אומר שאני כל הזמן רק מסתכל על החיים, משקיף מן הצד, צופה בתיאטרון, בלי לומר מילה, אפילו לא תודה, בבקשה או סליחה. אני כאן רק אורח לרגע, ועכשיו תציגו בפני את מופע החיים!

הרכבת נוסעת.

בחוץ נוף אורבני, כתובות גרפיטי, ובאופק ארובה גבוהה של בית זיקוק, ואני מתמקד דווקא בה, בעשן המזוהם, השחור, הסמיך, שנפלט ממנה, וחושב על התהליכים הכימיים רבי העוצמה שמתחוללים שם, ונפלטים אל השמים הכחולים כמו רסיסים של רשע. משם נושאות אותי מחשבותי אל המשפחה המפורקת שלי, לעזאזל! למה הייתי צריך לכרוך את גורלי באישה שהשנים הפכו אותה למרירה כל כך, מלאת כעסים וארס?! והם, השניים האלה, כפויי הטובה, האם לא אני בעצמי, במו ידי, גידלתי אותם, חיתלתי אותם, לימדתי אותם להגות את המילים הראשונות?! כמה תום וכמה אהבה היו בחיבוק שלהם בגיל שלוש או ארבע, והקריאה הנרגשת שלהם, אבא, אבא, קריאה שהתחלפה היום, כשהם גברים צעירים, בשתיקה קודרת, בניצוחה המזהיר של גרושתי־שתחיה!!!

וכבר אנחנו מחוץ לעיר, נוף כפרי, גבעות ירוקות, ליד המסילה נחל מפכפך, מבעד לשמשה זורחת שמש עצלה, והמחשבות נושאות אותי אל סימבה, החתול השוכב לו נים ולא נים בין כריות וכסת, שפרוות בטנו הלבנה מדיפה ריח משכר של וניל וקינמון, סימבה, שוודאי תוהה לאן נעלמתי, אבל בדקה הבאה כבר ישכח את מקור דאגותיו. ובין המחשבות, פתאום, נגינה מחרידה של חליל, ואני מפנה את מבטי אל פנים הקרון, שהתמלא בינתיים, ואמא נפוחת חזה מעודדת את בתה להמשיך ולנגן, אלה ארבע העונות של ויוואלדי, ודווקא הפרק האהוב עלי ביותר, **הקיץ**, אבל איזו התעללות וחוסר מוסיקליות! אלוהים ישמור! הנוסעים האחרים חורקים שן, מתפוצצים מזעם, אבל על מה בעצם הכעס אם לא על הזיוף שבתוכנו, על העמדת הפנים במסווה של אהבת אם, על גאוותנות מעוורת, והרכבת נוסעת, היא כבר לא רק רכבת בעולם החיצוני, אלא שועטת בין מעמקי הזיכרונות והרגשות

שלי, היא מצדי לא קיימת בכלל, וגם עכשיו, כשאני על שפת אגם בפארק דיג משובב נפש בעיר Bordeaux, אני לא לגמרי בטוח איך הגעתי לכאן...

שלך,
בגעגועים ואהבה,
מיכאל

נ"ב
שלחתי לך במקביל (לפני כמה ימים) חבילה עם מטעמים, ולמכתב הזה אני מצרף צילום שלי עם שלל מכובד – דג קרפיון שהצלחתי לדוג בעצמי כאן בפארק Lac de Curton. איפה מחיאות הכפיים?!

[כעבור שבועיים]

לחובב הגבינות המסריחות שלום,
קודם כל אני חייב להביע מחאה חריפה על החבילה ששלחת, כאילו, הסירחון שלה הִכה למרחקים, הגיע עד לדימונה וכמעט הביא לפיצוץ אטומי במזרח התיכון. תגיד לי, מה זה הדבר הזה? איך בדיוק הכינו את הגבינות המגעילות האלה, בתוך גרבי צבא יד שנייה מגדוד חי"ר אחרי מסע רגלי? ולזה אתה קורא דליקטס? אני מצטער על גילוי הלב, מיכאל, אבל באמת שלא היתה לי ברירה אלא לזרוק את הכל לעבר הגבול המצרי, בתקווה שאין שם הרבה נפגעים.

היין היה דווקא בסדר, מחליק בגרון, ורק לא הבנתי מה זה הצילום הזה שלך עם חיוך של מיליון דולר מחזיק איזה דג צפלון, מידלדל כזה, חלוש, חולה, שעוד רגע הולך להקיא עליך. זה מה שהצלחת לדוג בפארק הדיג ליד בורדו? ועל זה אתה מתפייט לי בנ"ב של המכתב?

כמו שאתה מבין אני במצב רוח רע במיוחד אחרי שנגמרו לי שבעת הגימלים (או איך שאומר הפזמון: אל"ף אוהל, בי"ת זה בית, גימ"ל מה שביניהם), אבל אין מה לעשות, זה היה צפוי שכשאגיע למתחם עם האנטנה לא בדיוק אפול על צווארה בנשיקות.

יחד עם החבילה המסריחה שהואלת בטובך לשלוח לי הגיעו גם שני המילואימניקים התורנים, אחד פלגמט, שכל היום מחובר למוסיקה קלאסית באוזניות, והשני, חננה מהעיר מודיעין, טיפוס שעורר בי סלידה מהרגע הראשון שפגשתי בו בגלל הכיעור הבסיסי של הפרצוף העקום שלו: כאילו, בהתחלה הייתי בטוח שהוא בדיוק אחרי טיפול אצל רופא שיניים ושזה עוד מעט יעבור, אבל אחר כך התברר לי שהפה שלו **עקום באופן טבעי**, מה שלא מנע ממנו

להתחתן ולהתרבות ולהביא לעולם עוד כמה ילדים עקומים כמוהו (בחיי, הדפוק הזה הראה לי תמונות).

תמיד יש את הזן הזה של מילואימניקים שמגיעים לבסיס שמרית ומרגישים צורך להתוודות לפנַי על הבעיות עם האישה והחותנת והילדים וכל מיני צרות של גדולים, שהאמת ממש לא מעניינות לי את קצה חור התחת השמאלי, וכדי להשתיק אותו הכנתי לי את המגדל הקבוע עם השחר העולה ואמרתי, רוצה קצת, והוא אמר, כן, תביא, וסוף סוף סתם את הפה.

■ ■ ■

[כעבור שעתיים]

הזמן לא זז ואני חושב לעצמי, חצי בצחוק אבל גם חצי ברצינות, מה יקרה אם בעוד יומיים, כשאצא הביתה, לא אטרח לחזור לבסיס? כאילו, רק כדי לנקות את הראש ולחזור לשפיות, הרי זה אינטרס של הצבא שיהיה להם חייל עם ראש על הכתפיים ששומר על האנטנה ולא איזה עציץ שסובל מעציצות מתקדמת, וכאילו אם אני דופק נפקדות ולא מגיע לשבוע־שבועיים, מי כבר ידע מזה? למי יהיה אכפת? המילואימניקים לא ירגישו בחסרוני, האנטנה בטח לא שמה זין, אז למה לא בעצם?

הייתי רץ לבתי הקפה של תל אביב ומשם לים, הייתי לוקח חכה גדולה והולך לנמל תל אביב, אל המזח, ומצטרף אל הדייגים החובבים ומתחבר אל הים הכחול, זה מה שבא לי לראות עכשיו מול העיניים, **כחול של ים ולא צהוב של מדבר**, בא לי לשתות בירה ולהוריד חולצה ולקפוץ אל תוך המים הקרירים, יש לי זכות מלאה להתחיל לחיות את החיים האלה!!!

ואז אני חושב שהימים האלה, בנפקדות, בטח יהיו אומללים אם
כל הזמן אצפה לדפיקה של המ"צ על הדלת, אבל מצד שני אני
יכול לבוא להם בהפוכה ולישון במקום אחר, למשל בדירה בפתח
תקוה, ואני גם אשמור לך על החתולה, אמרק לך את הרצפות, אקח
לך את הדואר, תאמין לי, רק טוב יֵצא לך מזה, וככל שאני חושב
על התוכנית הזאת היא יותר ויותר מוצאת חן בעיני, כאילו, גם אם
יתפסו אותי בסוף, נניח, ויעלו אותי למשפט, נניח, אז מה הדבר
הכי גרוע שיקרה לי? שיתקעו אותי חודש בכלא שש? אז מה? ממתי
מאיימים על זונה בזין? אם אני אחזור לזרועותיה של לולו יהיה לי
רק טוב מזה, ואחרי סדרת האימונים שדימה העביר אותי, יש
מישהו שבכלל יכול עלי?

אני ממש מתחיל להתלהב מהתוכנית, זה יכול להיות משהו
בקטנה, כאילו, לא עריקות לתקופה אלא רק ליום יומיים, רק כדי
לקנות גלידה, ללכת לסרט, לתפוס זיון בפאב בתל אביב, אין לי
שאיפות יותר מזה, אני רק צריך את הזמן הזה לעצמי, אין שופט
שלא יבין את זה!!!!

ובחיי שאם היה לי קצת אומץ בחיים העלובים שלי, לא הייתי
עושה ביד כל הזמן ולא הייתי מחשב את קצי לאחור ולא הייתי
סופר את החודשים ואת השבועות ואת הימים עד רגע השחרור,
אלא הייתי בזה הרגע פושט מעלי את המדים המסריחים המגעילים
האלה, עולה על אזרחי, ומתחיל לצעוד צפונה, אל באר שבע,
ירושלים, אל הבית, אל האזרחות, אל האושר המתוק, אבל זהו,
שאין לי טיפה של אומץ בדם, ובמקום זה אני רק כותב לך את
המכתב הזה כמו אחרון הדפוקים על כוכב הלכת שלנו.

ועוד משהו קטן. לקחתי לתשומת לבי את כל התובנות שלך
במכתב האחרון על איך להסתכל על החיים כמו צופה בתיאטרון
ועל הדיאלוג של המציאות החיצונית עם ההוויה הפנימית וכל

החרטוטים האלה, וכשקראתי את זה בעין קצת עקומה התחלתי
לנזוף בעצמי בקטע של, נדב היקר, למה, למה כל הזמן לזלזל במה
שהדוד החכם מיכאל אומר מעומק לבו ומניסיון חייו, למה להמשיך
לנעול את דלתות האהבה והשמחה ולפתוח תמיד רק את השנאה,
הבוז והזעם הטהור, אם אפשר בסוויץ' קטן של המחשבה לחיות
אחרת? זה בדיוק מה שאעשה בפעם הבאה שאצא הביתה!

■ ■ ■

[כעבור ארבעה ימים]

אני עכשיו בסופ"ש, באזרחות, ושתהיה לי בריא, דוד מיכאל. בוא
נגיד שהחלטתי לנהוג בדיוק לפי מה שאמרת, וזה אומר שבדרך
חזרה מהבסיס הביתה, באוטובוס מבאר שבע לירושלים, הסתכלתי
על החיים בדיוק כמו שאמרת, כמו צופה אילם ובלתי מתערב,
ואפילו קצת בדום שתיקה, וניסיתי להשליך מהמציאות החיצונית
על המציאות הפנימית, בהנחה (הקצת מופרכת, שלא לומר מעט
מטומטמת) שיש איזה מחבר-על שאחראי על כל מה שקורה לנו,
בסדר, נגיד, וכשעבר אמבולנס יכולתי לזהות את רגשות הדחיפות
והמצוקה בתוכי, וכשנהג האוטובוס עצר להשתין בצומת מסמיה,
וכל החיילים ניצלו את ההזדמנות להצטייד בקולה זירו ובארטיק
מגנום, ירדתי עם כולם אבל לא קניתי כלום ובמקום זה שקעתי
במחשבות פילוסופיות ורפלקסיביות על התאוות הבהמיות לאוכל
משמין שמזמזמות בתוכי, ולמה אני מזניח את הגוף שלי ככה, האם
בגלל שוויתרתי על השאיפה שלי להשיג זיון, האם בגלל האשליה
שהמתוק יצליח להשכיח ממני את צרותי, ואז, לפני שכולם חזרו
לאוטובוס, עמדתי שם בחוץ ודמיינתי את עצמי, ממש כמו שאתה

עשית ברכבת, במקום שלֵו יותר, ופתחתי את דלתות הנדיבות, האהבה והחסד שבתוכי, ואמרתי, כן! כן לחיים! כן לחסד! כן לאהבה! והתעטפתי בשמיכות אוורירויות של לובן טהור, והזמנתי לעצמי שירת מלאכים, וכל מיני פיקים של פוקים התפוקקו לי באוזניים, והדבר הבא שקרה הוא שיד כבדה הונחה על כתפי – זה היה מנאייק שלזרועותיו החסונות נפלתי כמו פרי בשל עם הכומתה החסרה, העורף הלא מגולח והפסים הלבנים בנעליים הצבאיות.

אז תודה רבה על כל התובנות שלך, שעלו לי בקנס כספי של אלף שקלים (!!!) שאותו איאלץ לממן מההכנסות שאין לי מתסכיתי הילדים ברשת א׳!

שיהיה לך עד מאה ועשרים דוד יקר,
נדב

[כעבור שבוע]

שלום שלום נדבי׳לה, אבל מה זה, מה יהיה עם התפרצויות הזעם שלך? אולי מספיק כבר עם הפינוק הזה? קח דברים בפרופורציה למען השם, מה הם אלף שקל מול הנצח?!

תסלח לי, ידידי, אבל גם לי מותר לקטר קצת על הזעם הקדוש הזה שנוטף מכל פסקה במכתב שלך. בחיי, נדב, לא ברור לי על מה אתם, בני התשע־עשרה והעשרים, כל כך כועסים כל הזמן! אתם צעירים, נאים, טובלים מכף רגל ועד ראש בברֵכת העלומים, ללא בעיות בריאות, בלי לחץ דם גבוה, בלי חישובי כולסטרול, יכולים להתענג על סטייקים וצ׳יפס, בחורות חטובות ואלכוהול כיד המלך, ובכל זאת, אתם כל הזמן מלאי שנאה, מרירות ותלונות! עולם המבוגרים נראה לכם אבסורדי ומשמים, עולם הילדים נראה לכם אינפנטילי ומיותר, ובין לבין, אתם, מתקני העולם, דור העתיד, שירת הנוער, פשוט רותחים מזעם! נו, נדבי, בזבוז זמן שכזה! ובחיי, המחשבות הטורדניות שלך ואוסף ההשמצות וההכפשות שלך מרגיזים אותי יותר מהזבובים ומהיתושים במקום מושבי כאן בצרפת!

ורק לידיעתך ובשביל הפרוטוקול, אדוני הצעיר, דג השמך הצפלון, המידלדל, החלוש והחולה בתמונה ששלחתי לך, הוא בעינַי דג המאכל הגדול, העסיסי והטעים ביותר שאי־פעם נשלה בידי אדם בתולדות האנושות, וזאת בגלל הסיבה הפשוטה שאני הוא זה שדגתי אותו! הדג הזה יהיה לעולם ועד ההישג שלי, כי אני הוא זה שהשליך את החכה לאגם, אני הוא זה שהמתין שעה או שעתיים והחליף פיתיון תולעת בפיתיון תולעת, אני הוא זה שהניף בדיוק ברגע הנכון את החכה ושיפד על הקרס את דג הפלאים, הזיכרון הנהדר הזה הוא שלי, ואיתו אלך לכל מקום עד שארית חיי,

אז מספיק בבקשה עם הטפות המוסר ועם הירידות האלה, הן לא יובילו אותך לשום מקום! ואני מצטער על הפתיחה המעט אגרסיבית של מכתב התשובה הזה, אבל לפעמים, נדב, נדמה לי שצריך לתת לך איזו פליקה כדי להחזיר אותך לשיווי משקל ולשפיות מינימלית!

אני חייב להתוודות לפניך שאני קצת לא בסדר כרגע.

הכל התחיל במסע מדרום צרפת אל בירתה. התקרבתי ברכבת אל היעד הנכסף, פריז, ופתאום, עשרים קילומטר בלבד לפני תחנת סן לאזאר, הרגשתי דחף לאו בר־כיבוש לרדת לפניה, באחת מעיירות הלוויין של פריז שאת שמה אני אפילו לא זוכר, אולי כמו הדחף שלך לקחת את כל הפקלאות ולערוק מן הבסיס, להרוס את התוכניות ולצאת החוצה.

מחשבה אחת ניקרה במוחי, או כמו שאתה היית אומר: חפרה לי בשכל, אין לי מושג למה, והיא **שבתחנה הזאת אמצא אהבה**.

זאת תהיה תחנת האהבה, לא משום שהיא באמת כזאת, אלא רק משום שכך החלטתי. כשהרכבת נעצרה וטפטוף קטן של נוסעים ירד אל הרציף בשעה של בין ערביים, היתה לי שהות של פחות מדקה להחליט אם לעשות את זה או לא, ובסוף, ברגע האחרון, חילצתי את רגלי שהיו כמעט ממוסמרות אל רצפת הקרון, ויצאתי החוצה, אל העיירה הקטנה, עם אוצר מילים עלוב שלא יספיק לי אפילו לבקש מספר טלפון מבחורה חולפת.

הכל שם נראה די אפרורי, לא זוהר, לא מקום מובן מאליו למצוא בו אפילו בדל קרבה אנושית, ובכל זאת, המחשבה שבה והדהדה בי ביתר ביטחון, כן, ממש פה, מעבר לפינה, מחכה לך אהבה גדולה שכמוה לא חווית כבר שנים רבות!

כשחציתי את הרחוב מצאתי חנות נעליים פתוחה, ונכנסתי

פנימה וריח העור הכה בנחירי. על המדפים היו מסודרות נעלי עור שחורות וחומות לגברים בלבד, של יצרן צרפתי, עם חגורות ואבזמים וכל האביזרים הנלווים. החנות היתה ריקה מאדם, ואני כחכחתי בגרוני פעם ופעמיים, ופתאום היא הופיעה מחדר צדדי, אישה נהדרת, בעלת שיער שחור ארוך, אסוף בסיכה בקצה ראשה, ועיניים גדולות, מלאות טוב לב, צבען חום ובאמצען נקודה זוהרת, כמו אצל הכוכבות ההוליוודיות הגדולות.

הייתי כל כך מוקסם ומופתע מהתגשמות הנבואה העצמית שלי שאמרתי לה מיד בצרפתית שחילצתי מנבכי זיכרוני, enchanté, והיא חייכה חיוך רחב כמו שיש לנשים היפות באמת, ופצחנו בגישוש חיזורים אחר זוג הנעליים הנכונות עבורי.

גברת שאנטאל מוציאה ומביאה את הקופסאות המלבניות ומציעה עוד צבע ועוד דגם, ובכל פעם שהיא חוזרת מן המחסן היא מתערטלת עוד קצת. בתחילה משחררת את הסיכה ומניחה לשערה הגלי והשחור להשתלשל עד ישבנה, אחר כך מורידה את הז'קט האופנתי הדקיק ומגלה מחשוף ובו צמד עופרים שובבים, ולבסוף חולצת את נעליה ומתהלכת לצד הלקוח היחף, המהופנט, המביט בה כאחוז בחבלי קסם. בחירתי נפלה על זוג הנעליים היקרות ביותר, מין מוקסינים שחורים שבארץ לא הייתי מעז ללכת בהם בפומבי, אבל כאן נפרדתי בחדווה ממש משלוש מאות יורו שהגברת נטלה ממני בבת שחוק, ולעזאזל הכסף, באמת, כמה אפשר להתקמצן ולחיות מן היד לפה.

שאנטאל תלתה בי עיניים גדולות וצחקניות של אישה מנוסה וחכמה, ואני שאלתי אותה על דרך הרמיזה אם ידוע לה מתי יוצאת הרכבת הבאה לפריז, והיא אמרה באנגלית מאונפפת ומתנגנת היטב שהיא לא בטוחה, אולי זאת היתה האחרונה, ולמיטב ידיעתה גם אין בתי מלון בעיירה הקטנה הזאת, לא צימרים, לא בתי הארחה,

אפילו לא מלונות קרטון של הומלסים להתכרבל בהן, ואני שאלתי חצי בצחוק, אם כך, האם אוכל לבוא אל ביתה, ושאנטאל ענתה שוודאי שכן, היא ממילא עמדה לסגור את החנות, וגרה ממש לא רחוק מכאן.

מכאן, נדב, התחיל לילה שאותו הגיתי, יזמתי וביצעתי במו ידי, בכוחות עצמי, ליל אהבה סוער שכמוהו לא היה לי גם בנעורי, עם אישה בשלה ונהדרת, שהתגלתה כחסרת עכבות, מוסר או מצפון בכל הנוגע לעניינים הסקסואליים, בעלת דם חם ותאווה בלתי מסופקת, שהלכה לחקור בלשונה מקומות בגופי שאין להם שם באף שפה מוכרת, ואני בתורי נהניתי מאוד לעשות את המעשה שגרושתי אסרה עלי בכל פה לעשותו, לחקור בקצה לשוני את הסבך המתוק, הפראי, החושני, ולא לרוות כל הלילה!

בבוקר שאחרי, מאושר ומסופק כפי שלא הייתי בעשרים ושתיים שנות נישואי, נפרדתי משאנטאל בנשיקה צרפתית ארוכה, נעלתי את המוקסינים השחורים, המבהיקים בעורם המצוחצח ומדיפים ניחוח אירופי גברי, והתכוונתי לעלות על הרכבת ולנסוע את עשרים הקילומטרים הנותרים אל פריז, ורק שאלתי את שאנטאל, בדרך אגב, אם יש איזו אטרקציה (כלומר, אטרקציה **נוספת**) בעיירה הזאת, כיוון שכבר עצרתי בה.

הגברת החייכנית, שחורת השיער, חככה רגע בדעתה ואמרה שדווקא כן, אבל לא ממש כאן, אלא במרחק של עשרים דקות במונית, בכל יום שלישי נערך מרוץ סוסים ססגוני ואם רוצים אפשר גם להמר, מכל מקום בטלני העיירה מוצאים שזאת דרך נחמדה להרוג את הזמן ואולי לעשות מאייה על הדרך.

מחשבה חדשה הדהדה במוחי, מחשבה שנעשתה נחושה יותר ויותר, שזאת חייבת להיות **עיירת המזל שלי**, שאם מצאתי בה

אהבה מלאת תשוקה בכוח המחשבה והנבואה בלבד, אוכל בוודאי, באותה דרך, גם לעשות בה כסף, הרבה כסף, אלפי שטרות של יורו שאיתם אאריך את המסע שלי באירופה בכמה חודשים נוספים, ומי יודע, אולי אגיע גם לבלגיה והולנד ומשם אל הארצות הסקנדינביות! ואחר כך אל גרמניה! רוסיה! סין!

הלכתי בשריקה עליזה, כולי שמח וטוב לב, להמר בפעם הראשונה בחיי על סוס מנצח, וכשמצאתי את מקום המרוץ, שאליו נאספו כבר גברים רבים, מחרחרי ריב ותאבי בצע, הוצאתי את הארנק מן הפאוץ' והפקיד שאל, כמה, ואני הוצאתי שטר של מאה יורו, ואחר כך התגלגל מאליו שטר נוסף, ואז, מתוך ביטחון עצום במזלי הטוב, ומתוך ידיעה מבוססת כי ההתקדמות הרוחנית הדרמתית שלי בשנתיים האחרונות מקפלת בתוכה ערובה לנסים גשמיים על פי הזמנה, אמרתי לעצמי, אם כבר אז כבר, ונתתי בידי הפקיד העצבני את כל יתרת המזומנים שלי, בסך שלושת אלפים וחמש מאות יורו טבין ותקילין, והצבעתי על דומיניק, סוס מתוק וחמוד עם כתם שחור על המצח, שאם יחצה את קו הסיום ראשון, יבטיח לי זכייה ביחס של אחת לעשר, או בעברית פשוטה שלושים וחמישה אלף יורו מרשרשים...

ובחיי, נדב, שכשהמרוץ התחיל בכלל לא הסתכלתי על הסוסים השועטים, כלל לא ידעתי להבחין בין כתם שחור על המצח לבין כתם כתום על התחת, כל כך הייתי שקוע בפנטזיות על ההתעשרות המיידית עד שכבר הייתי בטוח עד למעלה מכל ספק שבכסף הרב שאקבל אזמין אותך על חשבוני לטיול מסביב לעולם, מיד עם השחרור הממשמש ובא שלך, אם תרצה.

חשבתי שנתחיל באירופה או בארצות הברית או באמריקה הדרומית, נבחר את היעד בהטלת מטבע או בשיטת "פתח את העיתון", ודמיינתי את הפנים המשתאות שלך במעבר החד והפתאומי

הזה, משגרת השמירות אל חיי הלוקסוס של חו"ל, אל ההרים הנישאים, האיים הנידחים, האגמים הפרושים מאופק עד אופק, ולכן היתה התדהמה גדולה כל כך, כמו סטירת לחי על הפרצוף, כשהתגלה לי שדומיניק לא הגיע כלל למקום הראשון ואפילו לא למקום השלישי, אלא השתרך הרחק מאחור והפסיד במערכה והוריד את כל כספי לטמיון, ומכאן שלאסוני ולהוותי התחלתי להבין, בחיוך אידיוטי מרוב בהלה שעדיין מרוח לי על פרצופי, שנותרתי בעיירת שדה בלב צרפת ללא כרטיס אשראי, ללא טלפון נייד, ולעזאזל, **בלי גרוש אחד על התחת!!!**

את המכתב הזה אני כותב לך כמו שאתה רואה בכתב יד רועד ורוטט, בשארית כוחותי, ורק מודה על כך שאת המעטפה ואת הבול קניתי לפני ההתרוששות המהירה שלי, כשעוד היו לי רווחה ותקווה והרבה מזומנים בארנק!

לראשונה מאז שיצאתי למסעותי, אני שואל באמת ובתמים ולא יודע את התשובה:

מה יהיה?

איך אסתדר?

לאן הגורל מתכוון לטלטל אותי עכשיו?

אין לי מושג מה אעשה עם הצרפתית הרצוצה שלי אחרי שסוס ההרבעה המטומטם הוריד אותי אל פת לחם. איך אמשיך בטיול, או יותר נכון: היכן אמצא את הארוחה הבאה שלי (שאנטאל כיבדה אותי הבוקר באספרסו ממכונה ביתית, אבל לא יותר מזה!) ואיפה אניח את ראשי הלילה (אולי אמכור לאחד הסייסים את המוקסינים המפוארים שלי?!).

למרות תהפוכות הגורל ותלאות החיים, הַצעתי מן הפִּסקה הקודמת בעינה עומדת, נדב, והיא שאם תרצה נוכל לטייל ביחד

אחרי השחרור שלך. כלומר: אשמח מאוד אם תצטרף אלי למסעותי בעולם, רק שככל הנראה איאלץ לבקש ממך להשתתף בהוצאות הטיסה והשהות שלך, ואם אפשר, גם לשלוח לי קצת כסף מזומן!

שלך,
בעוני ובדלות,
מיכאל

נ"ב
בינתיים לפחות למדתי מילה חדשה בצרפתית: מֶרְד!

[כעבור שבוע]

הי מר מֶרד,

וואו! איזה מכתב! ממך לא ציפיתי לעשות שטויות פיננסיות, זה מתאים אולי לגיל שלי, אם בכלל, ואני מתחיל להאמין שפיפיקו או איך שקראו לצועניה שלך באמת צדקה, אתה באמת נהיה אינפנטילי מיום ליום. כשהתחלתי להתכתב איתך לפני כמעט שלוש שנים היית מבוגר אחראי פחות או יותר, שיצא למסע הוללות ברחבי העולם בעקבות ירושה פתאומית, אבל עם הזמן באמת הסתובב לך משהו בראש, באמת נפל לך בורג!

כאילו, מה בדיוק ניסית להוכיח, שאתה נמצא מעל הגורל, מעל החיים, שמישהו באמת דואג לך שם למעלה ומסדר הכל גם כשאתה עושה שטויות? ומה זה הזבל הזה שלא לקחת איתך אפילו כרטיס אשראי, אלא שיחקת את המשחק עד הסוף? מה ניסית להוכיח, שאם החלטת שדומיניק יזכה אז זה מה שיקרה? אני מתפלא עליך, מיכאל!

נשבע לך שהייתי מארגן שישלחו לך עשירייה במיידי במגבית בהולה במשפחה המורחבת, אבל אפילו לא נתת לי כתובת, מיקום, סניף דואר, משהו, ואני רק מקווה שבזמן שלקח למכתב שלך להגיע לבסיס שמרית כבר הספקת להסתדר, אולי חזרת לזרועות שאנטאל והיא דאגה לך לארוחת ערב? או שהתקשרת לשגרירות ישראל בפריז?

רק רציתי להגיד לך שלמרות הכל, מיכאל, כאילו, למרות שקצת הצלחנו לריב במכתבים האחרונים בינינו ולמרות שאתה כזה אהבל ומרגיז לפעמים, ולמרות שאני לגמרי לא מתחבר ולא מסכים לגלגולים לאחור, סיאנסים, התערטלות בפומבי או בעילה של מוכרת נעליים זקנה, לא הייתי מצטער לרגע אחד אם היית אבא שלי. כאילו,

זה נראה לי החלום של כל בן שמישהו כל כך מחוק כמוך היה מגדל אותו! היינו יכולים להוריד ביחד כאפות על ילדים מציקנים, לשחק תופסת בין המדפים בסופרמרקט, ללכת ללונה פארק בסופי שבוע, לעשות קולות מרגיזים ולהציק לזקנות בימי חול, כל מה שאף פעם לא הרשו לי לעשות בתור ילד קטן וכל כך רציתי לעשות.

לגבי ההצעה הנדיבה שהצעת לי, אני כמובן חייב לסרב למימון הכספי (במילא זה כבר לא רלוונטי חחחחח), אבל לכל השאר התשובה שלי היא כן, כן! איזו שאלה! כאילו, אתה מחמם אותי על זה כבר שלוש שנים, מבשל אותי ככה טוב טוב מכל צד על השיפוד, עד שאני כולי מזיל ריר מהתאווה הזאת לעוף מכאן למסע – איתך.

כבר מזמן רציתי להציע לך בעצמי אבל חיכיתי לרגע הנכון, ברור שאני רוצה לטייל איתך בעולם, וברור שזה הדבר הראשון שאעשה אחרי היציאה מהבקו״ם שצפויה להתרחש בעוד פחות מארבעה חודשים. אם רק היה לי הכסף למסע כזה....

בינתיים, ימים שלמים אני יושב בבוטקה בכניסה לבסיס שמרית, ולילות שלמים מבלה בחמ״ל ליד המ״ק, ומדמיין את הרגע המתוק, המיוחל, המדהים, שבו אשתחרר מצה״ל, אזרוק מעלי ג׳יפה של שלוש שנים, אגיד שלום ולא להתראות לכל הטיפוסים המחליאים שפגשתי כאן, אתן אצבע משולשת לקצינים שאמללו אותי, ואז אעלה על בגדים אזרחיים, קצרים, עשויים כותנה, צבעוניים כאלה, אקח מונית בשיא המהירות לנתב״ג, אקרוץ בשרמנטיות לדיילת, אעלה על כבש המטוס, אתמקם טוב טוב ליד החלון כדי להיות בטוח שאני רואה את הארץ הקטנה והמצ׳וקמקת שלנו מתרחקת ממני מתחת לכנף, ומשם, קדימה והלאה, על משבי האוויר החמים ומעל לשכבת העננים הבוציים, אטוס החוצה מכאן, רחוק מכאן, לחו״ל!!!!

■ ■ ■

[כעבור יומיים]

היום הביאו לכאן את המחליף שלי לחפיפה – זה ממש קורה, היית מאמין? מתברר שזה נכון מה שכתבו בשירותים בטירונות שלי (לצד הציורים של כוס וזין) **באמת** עוד לא נולד המניאק שיעצור את הזמן, **ובאמת** הפז"ם דופק, וכל תקופה, גם הכי מבאסת והכי משמימה והכי לא נגמרת בחיים, גם היא מגיעה בסוף אל סופה, ובלי להרגיש כבר עברו כמעט שלוש שנים, שירות צבאי מלא שהצלחתי להעביר את כולו, להרוג את הזמן ולהיפטר ממנו כבר, וזהו, בקרוב אני מעביר את התפקיד המסובך והאחראי שלי בתור רכז האנטנות של מחוז דרום לאיזה פראייר אחר, מזדכה על המדים ויוצא לאזרחות!!!

כבר ברגע שהצעיר, ג'ינג'י, שרוך, טוויל, טוראי עם יציבה של לוּזר, ירד מהרכב הצבאי וגרר את הרגליים שלו בפיתולים אלכסוניים אל השׂ"ג יחד עם איזה מש"ק משמעת מגעיל מבסיס־האם, כבר אז היתה לי הרגשה רעה שהוא ואני לא נסתדר, וכשראיתי את פרצוף הארנבת שלו, עם העיניים הרופסות והשיניים החותכות, ממש לא סבלתי אותו ורק רציתי שיעוף לי מהעיניים, והוא הסתכל באימה ויראה על השלושה פסים שלי ונראה מפוחד לגמרי מהנהג המעפן שלקח אותו כל הדרך אל גבול ישראל מצרים, ועכשיו כשאני כותב את זה אני חושב לעצמי שלא באמת התעצבנתי **עליו** אלא יותר כעסתי על הדמות של עצמי שיכולתי לזהות בתוכו, כי לפני קצת פחות משלוש שנים הייתי בדיוק במצב שלו, מבוהל מכל הרעיון הזה של צבא ושל מדים ושל היררכיה נוקשה, מפוחד מהצל של עצמי, ועכשיו אני המבוגר, המנוסה, הסמל שנשבר לו הזין מהשירות ואוטוטו הולך לעוף מכאן, שמסתכל אחורה ולא ממש יכול להבין על מה היתה כל הדרמה, ממה היה כל ההלם של

ההתחלה, ממי בדיוק התרגשתי ובכיתי ורציתי להתאבד?! מאיזו מ"כית בהמית שבחיים שלה לא תוציא תעודת בגרות? מהמפגרים בכלא שש שאין להם מספיק דם להתייצב מול החיים ובמקום זה הולכים לערוק מהצבא? אלה המפלצות שגרמו לי לצרוח כמו נקבה? יאללה, יאללה! איזה דרמה!

אבל הג'ינג'י שהגיע לכאן נראה כמו מקרה ממש אבוד, היה לו מבט עלוב כזה, כאילו הוא כבר ויתר מראש על המאבק, וכל הזמן הנהן בראש שלו בלי לשאול שום שאלה כשהראיתי לו מה צריך לעשות בבסיס, איך ממלאים את הגנרטור של האנטנה, ומה עושים אם יש בעיה באחד הצילינדרים של המנוע, ואיפה שירותי הבול־פגיעה, וכשהראיתי לו את עמדת השמירה על הגבעה, לא יכולתי שלא לחשוב על כל השעות, הימים, השבועות והחודשים האינסופיים שהעברתי כאן עם M16 בהכנס, בוהה בהרים המדבריים שאין בהם כלום חוץ מכמה בדואים שמבריחים סמים, ונזכרתי בכל המילואימניקים הבהמות שהפליצו עלי, התוודו בפני, נחרו באוזני, ורוב הזמן כמעט הוציאו אותי מדעתי, והחזרתי את מבטי לג'ינג'י הפעור שעמד מולי במבט אבוד, ובאותו רגע ידעתי שמעבר לכעס ומעבר לתקווה יש עוד רגש, שזוהר באור יקרות והוא זה שאולי הופך אותנו לקצת יותר אנושיים, הרגש הטהור של החמלה, חמלה פשוטה של בן אדם אל בן אדם אחר, כי ידעתי כמה קשה יהיה לג'ינג'י הטוויל הזה, ידעתי שאין לו מושג באמת לאיזו מושבת עונשין הוא נכנס, אבל גם ידעתי שהוא יתחשל בסופו של דבר, הוא יתגבר, הוא יתבגר, הוא ימצא את הדרך שלו לשרוד את הגיהינום של שמרית, וטפחתי על שכמו צ'פחה חברית כזאת ואמרתי לו, אל תדאג, גבר, זה לא נורא כמו שזה נראה, יהיה בסדר.

■ ■ ■

[כעבור שלושה ימים]

ידעתי, פשוט ידעתי שלפני שאני סורק את המכתב ושולח לך בדואר אלקטרוני יקרה עוד משהו מרגיז למזכרת, ככה בקטנה, וזה בדיוק מה שקרה.

מתברר שאחרי הביקור הממלכתי שנערך בבסיס שמרית, מש"ק המשמעת השטינקר המרגל המזדיין בתחת העביר לשלומי מיודענו דו"ח חמור על כל הפרות המשמעת שהוא מצא בבסיס האנטנה הנודע לשמצה, כמו זה שאין במטבח הפרדה בין בשר לחלב בכלי האוכל, וכמו זה שכבר שנים לא בוצעה סריקה ברחבת הכניסה לבסיס כך שהכל מלא ג'יפה של בדלי סיגריות ועטיפות מסטיקים, והקטע שהכי הטריף אותם זה שהסדירניקים בבסיס – קרי: אני – מסתובבים להם כל הזמן במדי ב' כאילו אין אלוהים, ומכאן יצאה הפקודה החד-משמעית מסגן שלומי ש', חתומה בחותמת צה"ל, שאני חייב לעבור במיידי למדי א', ושאם אני לא אעשה את זה יעלו אותי במיידי למשפט (כאילו שאחד הגששים ילשין עלי פחחחח), וכל זה היה מלווה במשלוח בהול מהאפסנאות של מדי דקרון ירקרקים עם ריח מבחיל של בקו"ם.

עכשיו, מיכאל, שתבין, אין מצב שבבסיס סגור ונידח כמו שמרית חיילים הולכים על מדי א', פשוט אין מצב כזה, הרי במילא אף אחד לא רואה אותם, אף אחד לא משתין לכיוון שלהם, אבל לשלומי זה כמובן לא אכפת, הוא החליט לנקנק אותי בשלט רחוק עד הסוף המר, ואפילו שנשארו לי רק שלושה וחצי חודשים, חמישה-עשר שבועות בסך הכל!!! עד לשחרור, הוא, כמו רוטוויילר רצחני, לא מרפה ממני ומכריח אותי לעלות על דקרון, שזה הבד הכי מגרד, הכי מעצבן, שהכי לא בזין שלי ללבוש אחרי שטחנתי את הנשמה שלי בבסיס הזה.

אני יודע שרק בפסקה הקודמת כתבתי לך על הרגש הכי נאצל

בחיים, החמלה בלה בלה, אבל האמת היא שיש רגש הרבה יותר מלהיב, הרבה יותר מזרים אדרנלין ושמחת חיים לדם, וזהו רגש הנקם, מיכאל, כי כשאני אשתחרר מצה"ל בעוד זמן קצר מאוד, כשאני אהיה חופשי ומאושר באזרחות, אני אעשה את כל מה שהערסים תמיד מאיימים שהם יעשו רק בהבדל אחד: אני באמת עומד מאחורי המילה שלי, **אני אתפוס את הנקניק הזה באזרחות ואני יזיין אותו בתחת**, אני אתקע לשלומי מכות רצח שהוא ישכח איך קוראים לאמא שלו, אני אכניס לו חוטר וקנה של M16 לחור המסריח שלו ואעשה לו פיסטינג עם כדורי באולינג, אני אקרע את השפתיים שלו ואוציא את השיניים שלו אחת אחת עם צבת מלובנת, ובזמן שאעשה את כל הדברים האלה אני אצחק את הצחוק הכי מרושע, הכי משוחרר, הכי פרוע ופרוץ שמישהו אי־פעם צחק על כוכב הלכת הזה, אני אגרום לאפס המאופס הדפוק בשכל הזה להצטער על הרגע שהוא פגש אותי, להצטער על הרגע שהוא התחיל להתעסק איתי, להצטער עד סוף ימיו על הרגע שהבזיקה במוחו המרושע המחשבה החולנית להלביש חייל כמה חודשים לפני השחרור שלו במדי א' עשויים מבד דקרון!!!

זאת התנהגות בלתי מתקבלת על הדעת, בלתי אחראית ובלתי ראויה, ואני אדאג **באופן אישי** שהמטומטם הזה יקבל הצלפה בישבן על כל פעם שדוקר לי התחת מהמדים המתחרעים שהאפס הזה הפיל עלי, ותאמין לי, מיכאל, לא עברו יומיים מאז תחילת הפרשה, וכבר התגרדתי פעמיים בדקה, אז תעשה אתה את החישוב.

ביי בינתיים,
שלך,
נדב

■ ■ ■

[כעבור שבועיים וחצי]

מיכאל,
שלחתי לך את האימייל האחרון לפני המון זמן, בפעם האחרונה שיצאתי שבת, ועוד לא שמעתי שום ציוץ ממך. אתה בסדר? אתה צריך כסף? אני צריך לערב את ההורים שלי? מה לעשות? בבקשה שלח אות או ציוץ חיים ברגע שתקרא את ההודעה הזאת. אני בינתיים בבית, בחופשת שחרור (חפש״ש), הם ביקשו שאקדים את זה והסכמתי, מה שאומר שאת הימים האחרונים בצבא אעשה בבסיס המהולל שמרית ולא עם אמא. שיהיה.

אני קצת מודאג.
נדב

■ ■ ■

[כעבור יומיים]

מיכאל,
אחרי שלא שמעתי כלום ממך כל הסופ״ש הרגשתי שאני חייב לעשות משהו ובסוף סיפרתי לאמא מה קרה, שנשארת בלי כסף בחו״ל וכל זה. היא בלחץ, ישר התקשרה לאחותה להגיד שנעלמת, שהתרוששת, שאיבדת את כל כספך, ולאה התחילה לזעום שתמיד היית חסר אחריות, בלי שום תכנון, בלי שום ראייה קדימה, וזאת הסיבה שהיא לא יכלה להמשיך איתך, וגם התחילה לבכות בטלפון ואמרה שהיא מקווה שאתה בריא ושלם והתוודתה שהיא תמיד תאהב אותך (אבל לא שמעת את זה ממני).

אל תשאל, הם רוצים לערב את יחידת החילוץ של משרד החוץ. אני ממש מצטער אם עשיתי בעיות, אבל בבקשה, משפחה זה משפחה וכולנו מתחילים להיכנס לפניקה.

נדב

■ ■ ■

[כעבור שבועיים]

מיכאל,
איך שהגעתי הביתה בדקתי את האימיילים ועדיין לא קיבלתי שום דבר ממך. כנראה שאין לך אמצעים להתחבר כרגע לעולם האינטרנט. בכל מקרה, ממש תודה שהתקשרת ללאה, גרושתך־שתחיה. היא קצת זועמה שהשיחה היתה קולקט, אבל שמחה לשמוע שהכל בסדר איתך, שיש לך מקום לישון ומה לאכול. האמת, כולנו נשמנו לרווחה. היא סיפרה שהתחלת לעבוד בצרפת (?!) ושאתה לא רוצה שום עזרה כספית, אתה כבר ילד גדול...

איך שלא יהיה, ממש תודה על הד"ש החם שמסרת לי. אני סופר את הימים עד השחרור, כלומר נשארו לי רק עוד חודשיים וחצי של גירודים עם המדי א' המזדיינים, ואז אני כבר באזרחות. מריחים את הסוף, היית מאמין?

שלך,
נדב

נ"ב
מחכה לדיווח מלא על מה שקרה לך בכל הזמן הזה...

[כעבור כחודש]

שלום שלום נדבי, אני מאוד מצטער על הסקנדל המשפחתי ועל הדאגה המיותרת שגרמתי לכם, ומכל מקום תודה על האכפתיות, מתברר שכל הקלישאות נכונות ובאמת אין כמו משפחה (אפילו שבמקרה שלי היא מפורקת לגמרי)! לגבי ההערה של גרושתי־שתחיה, גם אני אוהב אותה, ותמיד אוהב, אבל כנראה לא נועדנו להמשיך לחיות יחד בגלגול הזה, אולי, כמו שאוולין אומרת, אולי בגלגול הבא...

עברו עלי תהפוכות רבות מאז המכתב האחרון אליך, לילות שבהם לא ידעתי אם תהיה לי קורת גג או מיטה להניח עליה את הראש, ופעמים שלא ידעתי מהיכן אשיג את הארוחה הבאה שלי, אבל הכל היה כמו משחק ביני לבין המציאות החיצונית, משחק שבו רציתי לנסות את המזל הטוב שלי וגם לראות פעם אחת ולתמיד איך זה כשאין בכלל כסף. הרי כל חיי פחדתי מפיטורים, הייתי מודאג בגלל צל צלה של אפשרות שאשאר ללא מקור פרנסה, והדאגות האלה כרסמו בי ואכלו בי כל חלקה טובה של שמחת חיים או אמונה בטוב לבן של הבריות, והנה, פתאום, בגיל שישים וקצת, החלטתי להיישיר עיניים אל מפלצת העוני שהפילה עלי את חיתתה כל חיי, ואני גאה לבשר לך שאני והמפלצת נפגשנו, הסתכלנו זה לזה ישר בלבן של העיניים, נהמנו, סימרנו שיער, חרקנו שיניים, ומה אתה יודע? בסוף הסתדרנו ואפילו קצת התיידדנו!

הלילה הראשון שלי, בסוף אותו יום מר ונמהר שבו הימרתי על הסוס הלא־נכון, היה הלילה הקשה ביותר בכל התקופה הזאת. התהלכתי בין הצרפתים המקומיים, שיצאו כולם מן המרוץ בשן

ועין (נדמה לי שזיהיתי את המילה ״שחיתות״ בתוך בליל הצרפתית שלהם), והייתי אובד עצות לגמרי. מעולם לא הייתי במצב הזה ומעולם לא לימדו אותי מה עושים כשאתה בארץ זרה ללא אגורה שחוקה. ניסיתי להיזכר בכל העצות שפיזרתי לך בנדיבות, אולי אמצא אחת מועילה ביניהן!

אני חושב שזאת שהשאתי לך כשהיית בכלא, לגבי מזלך הטוב שיש לסמוך עליו, היא זאת שנסכה בי את התקווה כי אמצא את דרכי, ורק חיפשתי את סימני הדרך שהמציאות נותנת לנו לפעמים, והתפללתי לפוק ולאובזה שיפקחו את עיני, ובעיקר את העין השלישית, להבחין בהם, והלכתי לכיוון העיירה שבה פגשתי את שאנטאל, מתוך תקווה שתסכים לקבל אותי לזרועותיה ללילה שלם נוסף, למרות שבעמקי לבי ידעתי שזאת הבחירה הקלה, ושאם איתרע מזלי להיזרק אל עברי פי פחת, עלי, כמו שאתם הצעירים נוהגים לומר לפעמים, לזרום עם זה.

אחרי צעידה לא קצרה, כשהערב ירד אט אט ומשבי רוח אירופית קרה החלו להרטיט את עצמותי, עצרתי לנוח תחת גשר רכבת מעוטר בכתובות גרפיטי, ושם מצאתי שני טיפוסים, ז׳אן ופייר, שחלקו ביניהם בקבוק ברנדי זול, וכפי שזה נראה בעין בלתי מזוינת, אוננו קלות מול ירחון פורנו של נשים מגולחות ערווה.

איזו ברירה היתה לי? עם שארית הפלטה של הצרפתית שלמדתי בכיתה ט׳ בגימנסיה הרצליה לפני יובלות אמרתי להם bonsoir, והם, בלי כל היסוס, הציעו לי במחוות יד גורפת להצטרף אליהם, ונתנו לי בנדיבות ללגום איתם את הברנדי מעורר החמימות, ותוך כדי כך לימדו אותי את המילים הראשונות בצרפתית של החיים, לא זאת הכלואה והדחוקה בתוך ספרי הדקדוק של בית הספר התיכון, אלא זאת הנשפכת ועולצת בזעם ובאהבה.

מתברר שז׳אן ופייר מסוכסכים ביניהם על נקבה שכל אחד מהם

טוען לבעלות המלאה והבלעדית עליה. אגב ויכוח הם שותים ביד אחת מן הבקבוק וביד השנייה מושכים את ירחון הפורנו אנה ואנה או שולחים אצבעות לעסות את קצה הזין, ובין גיהוק לגיהוק מלמדים אותי את השפה הצרפתית, אבל כמו שבאמת צריך ללמד שפה חדשה – מלמטה! משפת הרחוב! לא בהטיות פעלים משמימות ולא בכללי תחביר ודקדוק שפשוט הורגים כל חשק להמשיך בלימוד, אלא במילים החשובות באמת, שאני גאה לומר לך שאני שולט בהן היטב, גם בעל פה וגם בכתב, ואגב במבטא לא רע בכלל, כמו למשל:

Va te faire foutre – לך תזדיין!

Espèce de connard – שמוק!

Tête de nœud – ראש זין!

ולפעמים כשנחה עלי הרוח:

Enculeur de mouches – מזיין זבובים!

איזה כיף ללמוד את המילים החדשות בצרפתית, ואחר כך לשיר בין גיהוק לגיהוק:

Il est des nôtres
Il a bu son verre comme les autres

הוּא אֶחָד מִשֶּׁלָּנוּ
הוּא שׁוֹתֶה כְּמוֹ כֻּלָּנוּ

באותו לילה נרדמתי חבוק איתם תחת גשר הרכבת, ובבוקר, מתוך פיזור דעת, לא יכולתי למצוא את המשקפיים שלי בין השיחים והעשבים השוטים ששימשו לנו מיטה מאולתרת. פייר וז'אן עשו כל שביכולתם כדי לסייע לי במגבלות החמרמורת של

שלושתנו, ניערו זה את מעילו של זה, דחפו זה את זה, חזרו על האשמות הדדיות והוסיפו כמה קללות שביקשתי מהם לאיית לי כדי שאוכל לחזור עליהן בנסיבות עתידיות, ואחרי שנואשנו מהחיפושים, השתינו השניים השתנה בנוסח צופי על שלוליות הקיא ובקבוקי הברנדי הריקים והלכו לשלום, מותירים אותי עם הלקח הראשון בחיים החדשים שלי: העיוורון קשה ורע כמו העוני. איפה המשקפיים שלי?

לא אלאה אותך במסכת הנדודים שלי מאז אותו לילה. אוכל להגיד לך באופן חד־משמעי, נדב, שהמוניטין שיצאו לצרפתים כחמוצי פנים שגויים לחלוטין! גם כשהייתי דפוק וזרוק בשפל המדרגה, מצאתי כל יום לפחות צרפתי אחד שנחלץ לעזרתי מתוך טוב לב פשוט או חסד נוצרי או השד יודע מה! האישה, שאת שמה אני אפילו לא יודע, שנתנה לי שמיכות וקצת ביסקוויטים, והילד הצחקן שחלק איתי חצי נקניקייה שקנו לו הוריו ולא התחשק לו לאכול את כולה, והזוג המאוהב שאירח אותי בקרוון הנטוש שלו בחצר הבית. בכל יום למדתי כמה מילים חדשות: בבקשה, סליחה, איפה, כסף קטן, מקום לישון, אתם מחפשים עובד?

אחרי כמה ניסיונות שווא למצוא לי מקור פרנסה, איזו עבודת כפיים להרוויח ממנה כמה גרושים, כשאישה קשוחה בעלת זרועות עבות שאלה אותי בקצרה, מה אתה יודע לעשות? העברתי בראש תשובות אפשריות – לנסח כתבי אישום, לחתום על הסדרי טיעון, וגם ל... לעשות גבינות, כן, עם תת־התמחות בגבינות עזים מעלות עובש, בוודאי, יש לי ניסיון, ניסיון רב, שיקרתי במצח נחושה, והזעף בעיניה התרכך לרגע והיא אמרה, לסחוב אתה יכול, לנקות, לסדר, לגרוף, ועניתי bien sûr, בלי להבין כמעט

מילה משאלותיה, ולשמחתי התקבלתי מיד לעבודה בתור גבן מוסמך בחווה כפרית קטנה, המרוחקת שתי תחנות רכבת ומרחק שנות אור מפריז.

כאן, נדבי, אני נמצא כבר למעלה מחודש, מתעורר כל יום בחמש בבוקר, אומר לבעלי הבית בונז'ור במבטא מהוקצע ובביטחון עצמי כאילו צרפתית היתה שפת אמי, ובשירה עזה של שירי אדית פיאף או ז'ורז' ברסאנס אני סוחב דליים של חלב עזים אל הפִּסטוּר, ומנקה את כלי המחמצת, ואוכל גבינות ויין אדום מתוצרת מקומית, ובלילה יש לי מיטה – פשוטה, רכה, נהדרת – לישון בה, ואני נהנה מכל רגע, אני אסיר תודה, אני חש הקלה כל כך גדולה, כי הדבר שממנו פחדתי כל ימי חיי, ליפול אל חיי דלות ועוני, אל קבצנות וחוסר כל, הפך לידיד שאפשר לחיות איתו. עם קצת מזל וגם רצון טוב אפשר להרוויח כמה יורואים ליום, שאותם אני חוסך בשקידה להמשך המסע!

שלך,
ידידך משכבר הימים,
Michaël

נ"ב
לפי ניסיון העבר, אני לא מצרף למכתב הזה גבינות מכל סוג שהוא, אלא רק פרחים מיובשים שאני מניח כל לילה בין דפיו של ספר התנ"ך שהתחלתי לקרוא בצרפתית. עכשיו אני בדיוק בסיפור המבול, ומה אומר לך, בצרפתית זה אפילו נשמע טוב יותר!

■ ■ ■

[כעבור שבוע]

שלום שלום נדבי, לפי החישובים שלי אתה אמור לסיים את הצבא בעוד זמן לא רב (כמה בדיוק? חודש? יותר?), לכן ביקשתי הלוואה מבעלת הבית על חשבון המשכורת של השבוע האחרון, לקחתי אוטובוס לאינטרנט קפה הקרוב ואני כותב לך את האימייל הזה.

אני לא יודע כמה זמן אמשיך להיות כאן, כרגע אני נהנה מכל רגע ולא רוצה להפסיק או להפסיד את החוויה המוזרה של החיים הפשוטים האלה, שלא חלמתי מעולם שאחיה כמותם. ובכל זאת, הייתי מאוד רוצה שנטייל ביחד. אולי תרצה לבוא לצרפת? או שאתה חושב על יעד אחר? אני מוסיף כאן למטה את מספר הטלפון של בעלת הבית, קלודין. היא לא מדברת אנגלית ועלולה להישמע קצת אנטיפתית בטלפון, אבל אני נשבע לך שיש לה לב זהב. רק תגיד את שמי, רצוי במבטא צרפתי, והיא תעביר לי את השיחה. אנחנו חייבים לטייל ביחד אחרי כל המכתבים האלה!

שלך,
מיכאל

[כעבור יומיים]

אדוני הגבן היקר,

התקשרתי כמה פעמים ולא היית. קלודין אמרה לי איזה משפט שוב
ושוב ולא היה לי מושג מה היא רוצה ממני. אגב, אנטיפתית זה לא
מילה, היא טרקה לי את הטלפון בפרצוף. בסוף ביקשתי ממכרה
דוברת צרפתית שתתקשר במקומי, והיא תרגמה לי שהתפטרת
מהעבודה ונסעת, קלודין לא יודעת לאן.

איפה אתה?!!

[למחרת]

שלום שלום נדב, סליחה שלא עדכנתי אותך, אבל ביציאה מהאינטרנט קפה, בדיוק אחרי ששלחתי לך את האימייל האחרון, הלכתי לקנות לי כוס מיץ, ועל הדרך קניתי גם כרטיס הגרלה מקומי וזכיתי בו במקום באלף יורו! זה היה הסימן שחיכיתי לו! קלודין הסכימה בצער רב לשחרר אותי מיד, לא לפני שאמרה לי שאני העובד הטוב ביותר שהיה לה אי־פעם בחווה. אני עכשיו בדרך לנמל התעופה אורלי, ומשם לצפון איטליה. מתחשק לי לשמוע אופרות!

שמור איתי על קשר אימיילים, אכתוב לך משם.

צ׳או במבינו!!!

מיכאל

[כעבור יומיים]

הי מיכלאנג׳לו,

אין כמוך, אתה מלך! לא בזין שלך להיות בצרפת אז אתה באיטליה, בלי דיווח לאף אחד, חי את החיים כמו שאתה רוצה וכמו שאתה מבין – כל הכבוד לך, רק אל תיעלם לי בבקשה כי יש לנו כמה דברים חשובים לסגור וקשה לי עם זה שאתה פתאום נעלם ואפילו לא מתחבר לאימיילים שלך כדי לענות על שאלות פשוטות.

בטח שאני רוצה לנסוע איתך. אני גם יודע לאן: אני רוצה קודם כל לראות את טיילת החוף בריו דה ז׳נרו, נראה לי שאתאהב בברזיל!

הבעיה הפעוטה היא עניין הכסף, לא רק שלך אלא גם שלי. במהלך השירות שלי, עם המשכורת המפוארת של חמש מאות ש״ח בחודש, הצלחתי לחסוך אלפייה, וזהו. מה שאומר שחסרים לי לפחות שלושים ומשהו אלף שקל לטיול הגדול לדרום-אמריקה, וייקח לי כמה חודשים טובים להרוויח את זה.

בכל מקרה, השחרור שלי, הרגע הגדול, הוא בדיוק בעוד 27 יום (טבלת הייאוש לא משקרת!), אז תישאר בקשר לעדכונים שוטפים!!!

נדב

[למחרת]

שלום שלום נדב, בעוד פחות מחודש ימים אתה גומר את הצבא, איזו חדשה מסעירה!

אני עכשיו במילאנו, איטליה. הגעתי לכאן כמעט בבלואי סחבות, ומסריח מגבינות ועובש, אחרי מסע הדלות והעוני ברחבי צרפת, ובלי מחשבה יתרה הזמנתי כרטיס במאה וחמישים יורו לתיאטרו אלה סקאלה המפואר במילאנו, כדי לשמוע את ריגולטו של וֶרדי, אחת האופרות האיטלקיות האהובות עלי ביותר, עם שיר הדגל מהמערכה השלישית שפשוט קדח לי במוח כל הדרך מצרפת לאיטליה אחרי ששמעתי אותו במקרה מהטלוויזיה בדוכן כרטיסי ההגרלות:

La donna è mobile
Qual piuma al vento
Muta d'accento – e di pensiero

הָאִישָּׁה הֲפַכְפַּכָּה
כְּמוֹ נוֹצָה בָּרוּחַ
מְשַׁנָּה אֶת קוֹלָהּ – וְאֶת מַחְשַׁבְתָּהּ!

עד מהרה גיליתי שנפלתי בפח. חשבתי שכרטיס יקר לאולם מפואר יקנה לי אושר עילאי, אבל כבר כשהתיישבתי על כיסאי המרופד, מכותר בזוגות־זוגות של אמידי העיר, חנוטים בחליפות, מפוטמים לדבעי ומסריחים מכסף, הרגשתי את אווירת הזיוף המנופחת. הקהל הבורגני לא באמת בא כדי לשיר בקול יחד עם הדוכס, להתענג על השירה הגברית הרועמת, אלא כדי שיוכלו להתרברב בפני חבריהם

האמידים שבילו ערב שלם בפעילות תרבותית אנינה בבית האופרה של מילאנו. הסתכלתי עליהם, על השמנדריקים האלה שחיים בהצגה־בתוך־הצגה של צביעות מחפירה, מגעילה, שהביאה אותי כמעט עד להקאה!

ובכל זאת, נדב, לא ויתרתי, סך הכל עשיתי מרחק לא קטן כדי להגיע לכאן. עזבתי לאנחות את קלודין, שהצילה אותי מעוני מחפיר, ואת המיטה הפשוטה, וכל זאת כדי לשמוע אופרה באיטלקית, באיטליה, ולא אתן לקהל הגאוותנים, השחצנים והרֹהבתנים לקלקל לי את החגיגה, אבל כשהמבטים המתנשאים חרכו את עורי וכשקולות מהסים השתיקו את שירתי העליזה, התברר לי שלא אוכל באמת להישאר שם, ודווקא באריה האהובה עלי, זאת שבגללה נסעתי כל הדרך מצרפת, דווקא אז לא יכולתי לסבול יותר את הזיוף של הקהל המעונב ויצאתי רותח מזעם מן האולם, מתחכך בכוונה רבה עם מכנסֵי הטלואים והמסריחים מעט בשמלות הנשף של הגברות המיוחסות ובחליפות הטוקסידו של עורכי הדין. הלכתי לאכול גלידת נוטלה מתוקה ב-gelateria הסמוכה, ולידה, מעשה קסם, איש נכה מפעיל תיבת נגינה, ושלושה ילדים רוקדים במעגל, ואני עומד שם בתוך ענן של חסד.

ככה צריך לשמוע מוסיקה.

שלך,
מיכאל

[כעבור שבוע]

איש האופרות שלום,

תמשיך, תמשיך לשמוע אופרות בזמן שאני נרקב כאן. למי אכפת איך הם מסתכלים עליך, כל עוד אתה חופשי לבחור מה לעשות בערב, איפה לישון ועם מי להיות?

אני עדיין פה, למקרה ששאלת. 19 יום בדיוק, זה מה שנשאר, והזמן לא זז, כאילו הוא נמס בחום השמש המדברית.

זין על החיים האלה, אני לא יכול לחכות יותר, אני מת משיעמום!!!

אני כל הזמן מבואס מהקטע של הכסף, כאילו, גם אחרי שלוש שנים בהסגר אני אצטרך לקרוע את התחת בשביל לקבל כרטיס יציאה מכאן, מה בסך הכל ביקשתי, רק לחיות קצת, זאת בקשה מוגזמת?!

וזה הורג אותי שאני עכשיו בתקופת הפז״ם שלא נספר בכלא שש. אתה קולט שאם לא הייתי נכנס לכלא, הייתי עכשיו כבר עמוק באזרחות? אני לא מבין את זה, למה אני צריך לסבול מזה פעמיים, כשהכל היה בכלל אשמתו של שלומי המטומטם?! (אגב, שמעתי שהדפ״ר הזה בדיוק השתחרר. שיחכה לי באזרחות, אני כבר אראה לו!)

מה שמוביל אותי למסקנה שזה יהיה גם צודק וגם מוסרי אם אלך הביתה כבר עכשיו, מה צבא ההגנה לישראל צריך אותי עוד 19 יום עם האנטנה? בשביל מה??!!

נדב

[כעבור יומיים]

שלום שלום נדב, אני עכשיו בוורונה – איזו עיר נהדרת! רצתי כמובן לראות את המרפסת של יוליה אהובת רומיאו, ומשם, חיש קל, אל הופעת אופרה המונית ב"ארנה" עם קהל נהדר שידע את כל המילים בעל פה וזייף אותן יחד איתי! איזו התרגשות! איזו חוויה! בסוף אריה מוצלחת צעקתי עם כולם bravo!!! ככה צריך לראות אופרה!

אחרי יומיים מלהיבים כאן לא יכולתי לוותר על האטרקציה מחוץ לעיר, אגם גרדה. בלי שום בושה או חישוב תקציבי, שכרתי לי אוטו למסע מסביב לאגם הענקי, ועצרתי בכל עיירה, הפשלתי מכנסיים, חלצתי נעליים, ובכפות רגליים יחפות נכנסתי אל המים הצלולים, הכחולים, והבטתי אל דמותי המשתקפת שם, אל הפנים המזוקנות, חרושות הקמטים, של איש ששנותיו ניכרות בגופו. מבט עיני הכחולות השתקף שם בבהירות, כמו במראת קסמים המגלה את כל נימי הנפש, ועכשיו אני יודע שאני חייב לגור כל חיי על שפת אגם כחול של מים צלולים ומתוקים, וזה מה שאעשה כשאחזור לארץ!

בינתיים עליתי גם אני קצת במשקל, קשה להקפיד על דיאטה כשפוגשים gelateria על כל צעד ושעל, ובכלל, זאת ארוחת הערב הקבועה שלי – למה לאכול חביתה וגבינה וסלט, אם אפשר להתענג על כל הטעמים שבעולם במרקם איטלקי סמיך? היום אכלתי גלידה בטעמי קרם זביונה, מלגה עם צימוקים ברום ו-nocciolato, אגוזים, פשוט נהדר. כשנחה עלי הרוח אני מבקש לטבול את הגביע ברוטב שוקולד סמיך שמתקשה מיד ומצפה את הגלידה הצוננת במעטה דמוי קרמבו, נפלא!

ואתה, אל תישבר ברגע האחרון. שלא תחשוב אפילו בצחוק

לערוק! אורך רוח! אומץ לב! צחק להרים המדבריים בפנים, צחק לאנטנה – היא תישאר שם לעולמים, ואילו אתה בקרוב כבר תהיה רחוק מאוד...

שלך באהבה רבה,
מיכאל

[כעבור 10 דקות]

מיכאלי,

כשתחזור לכאן אתה רוצה לגור על שפת אגם כחול, אוקיי, אבל מה זה אומר, שתעבור לגור בטבריה?!

נדב

[כעבור דקה]

נדבי, אתה מחובר עכשיו? ליד טלפון? אני יכול להתקשר?

מיכאל

[כעבור שעה]

מיכאל, איזה כיף היה לדבר איתך סוף סוף! אתה נשמע מאושר כל
כך, ובקרוב, אני מקווה, גם אני!

וכן, אני מסכים להכל! יום אחד, כשיהיה לי מספיק כסף
ממלצרות או מתדלוק, ניסע לחוף הים של ברזיל ונשתה קאיפיריניה
בקופקבנה, אני רוצה להיות בדיוק במקום שבו עישנת גראס עם
שני התרמילאים, זאת תהיה התחלה נפלאה למסע בדרום-אמריקה,
ויהיה נהדר, יהיה מושלם, וזה באמת יקרה, נכון? אני רוצה את זה
גם בכתב! שתכתוב ותבטיח לי שבאמת אצא איתך לטרקים
בצ'ילה, שבאמת אראה את ממלכת האינקה מאצ'ו פיצ'ו בפרו,
שתחתום לי שיש חיים טובים יותר, חיים של אושר אמיתי ומלא,
אתה מבטיח שיש?

אני כבר לא יכול יותר.

נדב

[כעבור שבוע]

שלום שלום נדב, כן, כל זה יקרה, אני מבטיח בכתב, זה פשוט חייב לקרות, נדבי!

עכשיו אני בטוסקנה, עשיתי את כל הדרך מצפון איטליה ברכב שכור, וזכיתי לאינספור צפירות מאיטלקים עצבניים כי ביציאה מהכביש המהיר אני תמיד מאבד את הכרטיס וצריך לשלם קנס מנופח, והם לפעמים מוחאים לי כפיים בלעג וצועקים לי bravissimo, או מלמדים אותי את אוצר הקללות המקומיות, כמו testa di cazzo (ראש זין), ואני לא יוצא פראייר ועונה להם בקולניות, בחיקוי מדויק של המבטא הנהדר שלהם, במשיכה של כל מילה בהטעמה מיוחדת, fottiti, לך תזדיין (ואגב, הידעת ששרמוטה באיטלקית זה puttana?).

בעיקר אני מתענג על הקתוליות שלהם, הסגידה העיוורת בת האלפיים לבחור היפה עם המסמרים ברגליים, ובעיקר לאמא שלו, המדונה הגדולה מכולן, שאוחזת בו בתנוחת ה-pietà. אלוהים אדירים, כמה קתדרלות וכנסיות יש להם ליד כל פיאצה, ואני נכנס ויוצא מדואוֹמוֹ לדואומו, נפעם מן האווירה הקדושה בפנים, מהפסלים המפותלים, היפהפיים, שאסורים למרבה הצער בדת שלנו, ויותר מכל אני מתענג על נגינת העוגב שמהלכת עלי קסם, בחיי שאני יכול לשבת שם שעות בעיניים עצומות ולהתענג על הצלילים האלה של כלי שהוא ספק פסנתר ספק כלי נשיפה. בלילה, באכסניית הנוער שבה לנתי, חלמתי שסבא המנוח גוער בי, מיכאל, מה קרה לך, אתה הולך להתנצר חס וחלילה?! ואני עונה לו, סבא היקר, אני פשוט נמשך למוסיקה, חבל שאצלנו בבתי הכנסת לא מנגנים ככה...

כשהתעוררתי למחרת – זה היה בעיר הקדושה Assisi – נמלאתי

הוד והדר עד שהרגשתי שאני חייב, ונכנסתי לקתדרלה וביקשתי לדבר עם רב־הכמרים, יוחנן, שהתגלה להפתעתי כבחור חמד בן פחות משלושים, בעל לחיים סמוקות ושמנמנות ומבט מבויש כשל בתולה, ושאלתי אם אוכל, במחילה, לשהות שם כמה ימים וללמוד לנגן בעוגב הכנסייה, ועיניו של הכומר אורו, והוא שאל, אתה מתכוון ל-organo? ועניתי, כן, אני מוכן לשלם כל סכום שהוא, אם רק תינתן לי ההזדמנות לפרוט על קלידיו.

הארכתי את שהותי בעיירה של פרנציסקוס הקדוש והתייצבתי כבר באותו אחר צהריים לשיעור נגינה אישי, כדי להתענג על כלי שהוא כמעט מוקצה מחמת מיאוס בארצנו. מה חבל שהפעלתו, שנראית קלה כל כך מן הצד, דורשת מיומנות בלתי אפשרית בשילוב לחיצה על דוושות הרגליים עם פתיחה וסגירה של מערכת צינורות הקלידים בידיים. ובכלל, התברר שאין לי אצבעות של קלידן. אחרי שלושה ימים ואפס התקדמות נסעתי משם, אל המקום שכל הדרכים מובילות אליו, אל רומא.

[כעבור שמונה ימים]

שלום שלום מיכאל, הלילה כבר לא אירדם, וגם לא בלילה הבא,
עוד יומיים בלבד למנאייק!!!!!!!!!!!!!!!!!!!!

נדב

[למחרת]

נדבי'לה, אני ברומא בפעם הראשונה בחיי, ביקרתי הבוקר בקולוסיאום שבנה הקיסר אספסיאנוס ובלי לבקש רשות מן השומרים התגנבתי אל הזירה, היכן שהגלדיאטורים נאבקו לחיים או למוות, והנפתי חרב דמיונית באוויר ושיספתי את מעי היריב לקול שאגות ההמון המשולהב, המסמן באגודליו כלפי מטה. שחטתי אותו חיים!

אחר כך אכלתי פיצה והתענגתי על המזרקות היפהפיות, המוקפות קבוצות של תיירים יפנים מנומסים, ושוב ביקור לעת ערב ב-gelateria מעולה, הפעם הלכתי על גלידת zuppa inglese, זה מעולה!

מחר אלך אל הוותיקן לראות את הקפלה הסיסטינית ולחזות בבריאת האדם של מיכלאנג'לו, אבל ההתרגשות לקראת הביקור בוותיקן היא כאין וכאפס אל מול ההתרגשות שלי בשבילך, לקראת השחרור הממשמש ובא! לא להאמין שכך חלפו עברו שלוש שנים, והרי רק אתמול כתבתי לך אימייל מבולבל ועניתי לי שאתה שוקיסט פעור, וכל כך הרבה מים זרמו מאז למרגלות נפטון וסוסי הים ב-Fontana di Trevi! נדבי, אני מרגיש כאילו הייתי בעצמי חייל על סף שחרור! כתוב לי!!! תאר לי כל מה שעבר עליך ביום האחרון, יש לך קורא צמא ונלהב!

מיכאל

[כעבור יומיים]

מיכאל,

ביום האחרון שלי בצה״ל קמתי עם בחילה כאילו שבסיס שמרית הוא ספינה וההרים החוליים מסביב גלים גבוהים, אני לא יודע מה קרה לי, הכל הסתובב לי מול הפרצוף, ואפילו המילואימניקים שאלו אותי אם אני בסדר כי נראיתי להם חיוור לגמרי, ואני עניתי שהכל בסדר, זה הכל רק מהתרגשות, אבל בתוכי ידעתי שמשהו ממש לא בסדר כאן, וניסיתי לאתר אותו מבפנים, מן העומק, מן המצולות, את הרגש שחולל בי את כל הסערה הזאת, ואז מצאתי אותה, את המחשבה העצובה והמייאשת, שאת הזמן שבזבזתי כאן איש לא יחזיר לי, שאני עוזב מקום שהייתי בו בלי לחיות ממש, כאילו בכל התקופה הזאת הושעיתי מן החיים אל אזור דמדומים של גסיסה מנטלית, ולמרות שכתבתי תסכיתים ולמרות שהייתי הכותל המערבי של כמה נפשות תועות של מילואימניקים, לא באמת הייתי שם, ואת מי שנאתי כל הזמן ואת מי קיללתי? כעסתי על שלומי, שבעצמו כבר השתחרר לפני כמה שבועות, ובעיקר זעמתי על אנטנה תמירה, עם מנורה אדמדמה בראשה, שמה היא בסך הכל? רק מוט ברזל אילם, עקר וקר, שהצליח לעורר בי כל כך הרבה אנרגיות רעות.

אחר כך הכל נראה כמו חלום סוריאליסטי, החייל האומלל, הטוויל, שהגיע להחליף אותי וסירב בנימוס לעשן סיגריה או לאכול פרוסה עם שוקולד למריחה (הא, התמימות!), והטנדר שלקח אותי לבסיס־האם צ׳, ואחר כך טופס הטיולים, ביקור בנשקייה, שריח הגריז בוער ממנה למרחקים, ומבטי הקנאה של החיילים הטריים על המשתחרר הטרי, והכל נראה כמו תפאורה לא מוצלחת, עשויה בטעם רע במיוחד, בקטע של, מה זאת ההצגה הזאת? מי האנשים

האלה? למה הם לבושים בירוק המזועזע הזה? ולמה גזעי העצים מסוידים כולם בלבן?!

מהבסיס בנגב נסעתי לבקו"ם, אל מדור שחרורים, עם צו סיפוח והצבה ותעודת שחרור וכל מה שצריך להזדכות עליו באפסנאות, סוודר, מעיל, מדי הדקרון, ואת הכל ליוו בתוך ראשי צלילים נעימים של פיוס ומחילה, כי זה הזמן לחייך באצילות ובנדיבות אל פגעיה החולפים של תקופה שהסתיימה, להביט באורך רוח על האומללים שעוד תקועים בה, ולדהור אל האופק על סוס לבן, או במקרה שלי, מחלקת תיירים במטוס ג'מבו חדיש, ובעוד אני חושב לעצמי את כל המחשבות הנשגבות האלה שמעתי פתאום טון נוזפני בנימה הצבאית השנואה עלי, נימה של אדנות ושל חיפזון כאילו אני מחצלת כניסה ולא בן אדם עם רגשות, חייל! חייל! וחזרתי למציאות, אל האפסנאי שעמד ברישול, מאחוריו לוח שנה עם זוגות ציצים מצוירים ביד אמן בהשראת פירות ארצנו, ושאל אותי איפה התחבושת האישית.

מיכאל, בחיי, בחיי שניסיתי לגמור איתם בטוב, עבדתי על עצמי הרבה כדי לסיים את זה יפה, בלחיצת יד, עם הרבה כבוד הדדי ואפס הרוגים, אבל הם אלה שעשו עניין מזה שאיבדתי תחבושת אישית, הם אלה שעצרו את שרשרת השחרור כדי לשלוח אותי לאגף תשלומים ולנכות לי חמישים שקלים מהמשכורת הצה"לית האחרונה, וזה היה הרגע שכל העמדת הפנים שלי הסתיימה, זה היה הרגע שבו פתחתי פה על האפסנאי ועל כל הדפ"רים שעמדו שם מסביב ואמרתי להם את כל מה שאני חושב ושרף לי בתוך הבטן, שמה שהם עושים זה בושה וחרפה, שאחרי שהם לא נתנו לי להרוויח מהתסכיתים ואחרי שאמללו אותי ארבעים שנה במדבר ואחרי שהטילו אותי אל בור האסורים כאחרון הפושעים בגלל גחמה של קצין אגומניאק, אחרי כל אלה הם עוד רוצים עכשיו,

ככה, בקטנה, לעשות עלי סיבוב אחרון עם ספוגית לניקוי כלים שיש להם את החוצפה לקרוא לה תחבושת אישית, דבר כזה לא יקום ולא יהיה, על גופתי המתה הם ינכו לי עגנון מהמשכורת, מי הם בכלל, וממתי חתיכת בד עולה כל כך הרבה כסף, שיראו לי הוכחות על זה, אני רוצה לדעת מי הספק הסיני שעושק אותם ככה, או, מה שיותר סביר, אני רוצה לראות מי בדיוק גוזר עלי קופון ולמה, והאפסנאי ואיזה נגד אחד שמיהר להגיע לשם ניסו להרגיע אותי שאלה הנהלים, זאת הפרוצדורה, הם רק ברגים במערכת, ואני אמרתי, כן, האחרון שאמר את זה היה אייכמן ותראו מה קרה לו, והנגד התחיל ללכלך שעוד לא מאוחר להעלות אותי למשפט, אם זה מה שבא לי ביום האחרון שלי בסדיר, ואני אמרתי, יאללה, קחו את הכסף, תנכו לי גם את זה מהמשכורת, אבל רק תדעו שאני, לשירותרום ולקרן לבי למען ביטחון ישראל, בחיים! לא! אתן! שקל!!!!

כל הנסיעה הביתה הייתי עצבני, גם בגלל הקטע של הפרינציפ של התחבושת האישית, וגם בגלל שבתחנת השיבוץ בבקו״ם התברר לי שהם עוד מתכוונים לקרוא לי למילואים באותו תפקיד, אם כי במקום אחר, בצפון הארץ, כנראה שיש שם איזו אנטנה שמייחלת לבואי, אבל כל הג׳יפה נעלמה כשהאוטובוס טיפס במעלה ההר והגעתי הביתה, אל בית הכרם בירושלים. רק לנשום את האוויר הצלול של האזרחות גרם לי להשתכר ולצרוח מאושר, והכל היה מקושט יפה כל כך עם שלטים של ברוך הבא וכמה טוב שבאת הביתה, וכשנכנסתי אל חדר ילדותי פתאום ראיתי את עצמי במראה והייתי בהלם, איך זה שהפכתי משחיף נידף ברוח לשמנדריק בעל גוף, ובחנתי בתשומת לב יתרה את הפנים, את מבע העיניים, וראיתי שמשהו השתנה בי בשלוש השנים האלה, התבגרתי קצת,

התחספסתי, למדתי דבר אחד או שניים על החיים, כי איך אפשר להשוות תיכוניסט שכרגע גמר את בחינת הבגרות בצרפתית והחלב עדיין נוזל לו על השפתיים, לגבר שבגברים שצחצח את האסלות בכלא שש?

אבא אמר לי מזל טוב על השחרור ואמא הכינה את כל מה שאני אוהב לאכול, ובערב, אחרי הארוחה ואחרי שנמנמנו על הספות בסלון ואחרי שאבא פרש לחדר העבודה, ישבתי עם אמא במרפסת מול השקיעה ועשיתי לה פוט מסאז' ממש טוב כמו שהיא אוהבת, והיא אמרה לי שהיא קצת מודאגת ממני, בקטע שאני נראה לה לא סגור על עצמי, ואני אמרתי מאיזה בחינה, והיא אמרה שהצבא שינה אותי, שפעם הייתי מוקף בנות יפהפיות וצחקקניות ועכשיו מה, היא ואבא מנסים לנחש למה בעצם עזבתי את טלי ומשתגעים מזה כי היא היתה נשמה טובה, אחת שהייתי יכול אולי להתחתן איתה, ואני אמרתי איזה להתחתן, מה להתחתן, ובטח לא איתה, ואין לך מה לדאוג, אני בסדר גמור.

הבוקר, ישר כשהתעוררתי נזכרתי במשימה הדחופה ביותר שלי אחרי השחרור, לנסוע באוטובוס לשכונת יד אליהו בתל אביב, לפי כתובת שהצלחתי להשיג בעורמה דרך ידידה בשלישות הראשית ברמת גן, ושם לארוב לשלומי ש' ולדפוק לו מכות רצח שישכח איך קוראים לאמא שלו, אבל כמה שניסיתי להלהיט את עצמי לא הצלחתי לקום מהמיטה, השינה קרצה לי יותר, והתהפכתי לצד השני בפיהוקים רחבים בקטע של למי בכלל יש כוח לעלות עכשיו על אוטובוס, ומי רוצה לראות פרצוף של מישהו שבעוד חמש דקות כבר לא אזכור בכלל שאי־פעם פגשתי אותו?

נדב

נ"ב

אני מתחיל בקרוב לעבוד כדי לחסוך כסף לטיול, אבל כבר עכשיו ברור שזה ייקח המון המון זמן. ☹

אני מתלבט בין שתי אפשרויות, משתלה אחת ליד קיבוץ רמת רחל שמחפשים בה עובד לכל מיני ניקיונות ושתילות, שזה סבבה, כאילו להעביר את הזמן בין פרחים ועציצים, אבל מצד שני קצת מבאס כי זה שני קווים באוטובוס, וגם הכסף לא משהו (עשרים ושלושה שקלים לשעה... תחשב לבד כמה זמן ייקח לי להגיע לשלושים אלף שקל בשביל המסע הגדול).

האפשרות השנייה היא להיות מלצר במסעדה מפוארת שנפתחה בנחלת שבעה, ליד בית אגרון. הם הסכימו לקבל אותי למרות שאין לי שום ניסיון במלצרות, בגלל שהבעלים מכיר איזה דודה של אמא, מה שנקרא בעברית פשוטה ויטמין P, וזה אף פעם לא מזיק. גם כאן השכר לשעה די נמוך, אבל אני בעיקר בונה על טיפים גדולים של תיירים שתויים, רצוי מגרמניה (עדיין אכולי רגשות אשמה, כן), שיכולים להגיע בקלות לכמה מאות (!) שקלים בערב, ועם ארבע-חמש משמרות בשבוע זה הופך את החלום הגדול לאפילו עוד יותר מושג, אבל הקטע המסריח הוא שהם לא מתחייבים לאיזה מינימום משמרות בשבוע, זה יכול להיות אפילו ממש מעט ואני די מתבאס ולא יודע עדיין במה לבחור...

אז כמו שאתה רואה אני מתחיל להיכנס לעניינים של לעשות את הכסף כדי לנסוע איתך לחו"ל, ומדי פעם אני גם קונה איזה כרטיס חיש-גד (מס של מטומטמים, כמו שאבא שלי קורא לזה) בתקווה שמישהו מעולם הנשמות יעשה לי נס וייפול עלי הרבה כסף מהשמים, רק שבינתיים חוץ מגירודים לא יצא לי מזה שום דבר.

אבל אני נחוש בדעתי להשיג את המטרה הזאת.

למרות שזה ייקח עוד הרבה הרבה הרבה הרבה הרבה זמן, אני מת כבר לצאת למסע.

■ ■ ■

[כעבור שלושה ימים]

דחוף!!!!

אני שולח את האימייל הזה עם סימן קריאה, אז תקרא אותו בדחיפות ועד הסוף בבקשה ומהר מהר לפעול בהתאם.

היום אבא ואמא נכנסו ככה ברשמיות מפחידה לחדר שלי ואמרו שהם צריכים לדבר איתי, וביקשו ממני לשבת והביאו גם כוס מים (?!), ולא היה לי מושג מה הקטע, אולי זאת שיחת נזיפה איומה על זה שאני קם נורא מאוחר בבוקר (אני עייף רצח מהמלצרות, ויש לי גם חשד קל לשברי הליכה – זאת לא עבודה קלה בכלל!), ואז אמא פתחה בדברים במבט נורא רציני, היא אמרה שכמו שאני יודע היא ואבא היו בסכסוך משפטי עם העיזבון של דודה רבקה ז"ל, אבל הקטע הוא שממש לאחרונה הם הגיעו לפשרה, הם נפגשו עם סימה ונעימה ועם מנהל העיזבון, והתברר שיש לו יתרה של מאה וחמישים אלף שקל שהמנוחה השאירה ליתר ביטחון, ואז נעימה חייכה את החיוך הערמומי שלה, הרטיטה את שלוש פימות הסנטר שלה והציעה לגמור את הפרשה בכך שכולם יתחלקו במאה חמישים אלף האלה, וההורים שלי בהתחלה התנגדו בגלל הפרינציפ וכל זה כי לדעתם הכל מגיע רק להם, אבל נעימה היתה

מתוקה שלא כהרגלה והציעה להם שהם יקבלו יותר ממנה, כלומר שבעים אלף ש"ח להורים שלי, ארבעים אלף לסימה וארבעים אלף לנעימה, ואמא שאלה בתמימות, מה, זה ככה מתחלק בדיוק, ונעימה, שהגתה את כל התוכנית מבעוד מועד, אמרה לה, כן, בדיוק, ולמרות שהיה ברור שזאת סחיטה מרושעת מצד האחיות הקנאיות האלה, שהיו בכלל המקור לכל העוול המתמשך הזה, שהסיתו את דודה רבקה וסכסכו בינה לבין אמא שלי וגרמו לה לחזור בה מההבטחה, למרות שהיה ברור שיש כאן אי־צדק משווע, להורים שלי לא היה יותר כוח לחרא הזה, והם הסכימו, חתמו (עורך הדין, הבבון בחליפת הארמאני, ניסח את הסכם הפשרה) ולחצו יפה ידיים לשתי אחיות הרשע, אבל בסתר לבם קיללו את סימה ונעימה שלא יֵדעו יום של אושר בחייהן, שזקנתן תבייש את נערותן, ויותר מכל – שייחנקו! שייחנקו עם הכסף שקיבלו ושלא הגיע להן בכלל!

אז מה כל זה נוגע אלי, שאלתי קצת באכזבה, כי האמת היא שאני לא אוהב שעומדים לי על הראש באמצע החדר שלי, ואז אבא כחכח בגרון ואמר לי שהם ראו כמה קשה לי התקופה של הצבא ואיך שלמרות כל הקשיים לא נשברתי, והם, כלומר בעיקר הוא, צפה בי בסיפוק הולך וגדל מן הצד, וזאת הסיבה שהוא החליט, כמובן בתמיכה חמה של מאמושקה הנהדרת שעמדה לידו בחיוך, ובקיצור השניים האלה החליטו לתת לי במתנה את כל הכסף שהם הרוויחו מהסיפור של הדודה רבקה, 70 (ובמילים: שבעים!!!) אלף שקל, כדי שאוכל לצאת **באופן מיידי** לטיול הגדול של אחרי הצבא – לאן שבא לי, לכמה זמן שמתחשק לי, הם לא מתערבים לי בכלום, ורק מבקשים שאעדכן אותם פעם בשבוע בסקייפ איפה אני נמצא.

יש!!

כמובן שקפצתי משמחה והדבקתי לאמא וגם לאבא נשיקות רטובות על הלחי, זאת המתנה הכי נהדרת שאי־פעם קיבלתי בחיים שלי, הנדיבות הזאת, ההפתעה, ובעיקר כשזה בא מאבא, ועוד אחרי הטיול האיום לברגן־בלזן ואושוויץ, פשוט לא יאומן כי יסופר. ☺

אז עכשיו אני לא מחכה שנייה אחת ורץ לקנות כרטיס טיסה לברזיל. אני יכול גם להעביר לך כסף אם אתה רוצה, אני איש עשיר עכשיו יא בא דא בא דא בא דא בא דא בא ואני רוצה שנפעל לפי התוכנית שלנו, אני אפגוש אותך שם, בריו דה ז'נרו, בקופקבנה, על החוף, כמו שחלמתי בכל הזמן האבוד שהייתי בצבא!

רק תעשה לי טובה, מיכאל, אל תיעלם לי, אני רוצה לראות אותך אחרי השלוש שנים המחורבנות האלה, **תתקשר אלי מיד כשאתה קורא את האימייל הזה**, כי מחר או מחרתיים, תלוי כמה מוקדם אצליח להשיג כרטיס טיסה, אני עף מכאן – הכי רחוק שאפשר!!!

שלך,
נדב

אפילוג

[כעבור חודש]

מיכאל...

לא להאמין שהתפקידים התחלפו ועכשיו אני הוא זה שכותב לך מחו"ל הרחוקה ואתה הוא זה שנמצא בארץ (עד שהכרתי אותך לא ידעתי כמה עמוקה יכולה להיות האהבה בין גבר לחתול!).

שלוש שנים שלחת לי מכתבים, שלוש שנים קראתי אותך בצמא, אבל מתברר שקצת מעלת בתפקידך, אם תרשה לי להכניס לך בקטנה, בקטע של, לא תיארת את הכל כמו שהוא, לא העברת לי את החיים כמו שהם באמת.

עד שלא הגעתי בעצמי לחוף של "קופה", כמו שקוראים לו המקומיים, עד שלא נפגשתי איתך בכניסה למלון Copacabana Palace בעל הפאר הקולוניאלי, עד שלא שתיתי קאיפירינייה ברזילאית אמיתית ועד שלא למדתי לגלוש על הגלים של ריו דה ז'נרו, עד שלא עשיתי את הדברים האלה בעצמי – לא ידעתי שהכל יכול להיות פשוט ומלא אושר כל כך, שאפשר לחיות את החיים באהבה, שאפשר לברך על כל יום שנולד ולהצטער על כל יום שנגמר, שאפשר לבלות עם מישהו שמכירים כל כך טוב בלי להחליף איתו כמעט אף מילה, רק להתענג על הים, לזלול

שרימפסים על הגריל, לצרוח כמו משוגע במשחקי כדורגל, לרקוד סמבה בפראות ולהירגע עם בוסה נובה, לדוג דגים בחכה ארוכה, לנשום את רוח הים המלוחה ולברך על הרגע ולהתפלל שלא יחלוף לעולם, או לפחות שיתמהמה עוד טיפה, רק עוד קצת...

גם הסופר הדגול ביותר לא היה מצליח לתאר את כל הדברים האלה כמו שהם בחיים האמיתיים, את מראה השקיעה בחוף ארפואדור, את האופקים הנפרשים מהר הסוכר, את הטעם של קדרת הפז'ואדה עם השעועית השחורה, את השמחה הטבעית והפשוטה של הברזילאים, את ההרגשה הנפלאה, המשחררת הזאת, של **חופש מוחלט** לעשות כל מה שאני רוצה, להתפקע מצחוק בלי שום סיבה, לרקוד בלי חולצה באמצע הרחוב גם כשיורד גשם טרופי סוחף, להרגיש פשוט קיים בתוך הרגע, לא בתכנונים לעוד עשר שנים קדימה, ולא בהתמרמרות או בטינה על מה שקרה עשר שנים אחורה, אלא פשוט להיות קיים קיום מתוק ומושלם כאן ועכשיו...

ואני רוצה גם לשלוח לך, מיכאל, **תודה ענקית,** עם קצפת וזיקוקי דינור, תודה מכל הלב, באמת, שלא הספקתי לומר לך כשהיית כאן ואני כל כך רוצה לתת לך אותה בכתב, תודה על מה שנתת ונטעת בי בתקופה הכי קשה בחיים שלי, על כל מה ששלחת לי לצבא, באותיות על נייר או על מסך מחשב מרצד, בהודעות אימייל קצרות או במכתבים ארוכים, ובחבילות המשונות שהיו מצורפות אליהם לפעמים, כמה טוב וחסד היה בתוכן, כמו ריצודים של שמש, מזכרות של אור, כי גם ברגעים המייאשים ידעת להפיח בי בתיאור קצר, במשפט אחד או שניים, סוג של רגש שהיה כל כך נדיר אצלי באותה תקופה, תקווה... או שמחה... או אהבה אל העולם ואהבה אל החיים וגם קצת התחלה של אהבה אל עצמי...

היית בשבילי החבר הטוב והאמיתי ביותר שהיה לי מעודי,
ואני רק מאחל לעצמי שבעוד הרבה שנים, כשאהיה בעצמי אבא,
או סבא, כשאהיה זקן ועייף, אוכל להסתכל אחורה ולהגיד
שחייתי את החיים כמו שמיכאל לימד אותי, לשמוח את שמחתם,
לשיר את השירה שלהם, לשחק את המשחק מתוך הנאה ורצינות
מעורבבות זו בזו, כמו שלושת הילדים שראינו יום אחד משחקים
בגולות ליד איזה דירה עלובה בפאבלות, ואתה עצרת ואמרת,
תראה איזה יופי, כובד ראש של משחק גולות, זה לא נפלא
בעיניך?

אני לא יודע למה אני בוכה כשאני כותב לך עכשיו את
המכתב הזה, אולי משום שאני גם מבין תוך כדי כתיבה את מה
שלא באמת הבנתי במשך כל השירות הצבאי שלי, שרגע שעבר
לא יחזור לעולם, הימים הארוכים שלנו ביחד על חוף הים,
הלילות שבהם הצטרפנו למסיבות סמבה מטורפות על החוף,
השבועיים מלאי החיים שעברנו ביחד – הכל עבר ולא יחזור עוד
לעולם, לפחות לא באותה דרך, כי סופו של כל ספר להסתיים,
ומה שלא הספקת לכתוב בין דפיו, שיר שלא הספקת לשיר,
שמחה שלא הספקת לשמוח – לא תכתוב עוד לעולם, והספר
נערך ונחתם, האותיות קובעו על העמודים הרבים והנה ירדו כבר
לדפוס...

ואני גם חושב עכשיו על כל הדמויות שהשארתי מאחור, אותן
דמויות מהחיים הקודמים שלי, המ״כית ששכחה איך זה להיות
בן-אדם... דימה שכמעט רוצץ לי את הגולגולת עם ראש טורקי...
המילואימניק הדוס שהתחרמן מהאיורים בהגדה של פסח... וכל
המראות שראיתי, הקונצרטינות והירח המלא בבסיס צ׳ שלצדם
הלכתי עם החברה שלי דאז... הצלע הפראית של הר האושר שניבטה
אלינו מכלא שש... השמים זרועי הכוכבים בלילות הארוכים

בבסיס שמרית... בכולם היה משהו מצחיק ויפה ומתוק שלא תמיד הבנתי כשחייתי את החיים איתם, ועכשיו אני קצת מתחיל להבין.

אחרי שנפרדתי ממך לשלום בריו דה ז'נרו ארזתי את הצ'ימידן בדמעות של צער, אבל גם התמלאתי רוח הרפתקנות מלאת אדרנלין, כי יבשת שלמה, כל דרום־אמריקה ליתר דיוק, מחכה שאגלה אותה, ולפי הדרך שלימדת אותי החלטתי לא לתכנן יותר מדי אלא פשוט לחיות את המסע, להתמזג איתו. כאילו, אני יודע שבא לי להיות בארגנטינה, צ'ילה, פרו, ונצואלה, אני יודע שאני רוצה לחקור גם את אקוודור וצפון ברזיל ולשוט באמזונס, אבל שום דבר בעצם לא בוער, הטיול יתגלה לי מעצמו, כמו סיפור שכל פרקיו מקופלים אחד בשני, ורק הדף הבא, הפִּסקה הבאה, נראים לעין...

ולכן החלטתי לעזוב את ריו דה ז'נרו ולרדת דרומה, אל אחד משבעת פלאי תבל, מפלי איגואסו בגבול שבין ברזיל לארגנטינה, מפלים שהם הרבה יותר גדולים וחייתיים ממפלי הניאגרה, ועכשיו אני כותב לך מאינטרנט קפה בצד הברזילאי של המפלים, בעיירה Foz do Iguacu.

לא הספקתי לעשות כאן הרבה כי מאז שהגעתי לפני שלושה ימים יורד גשם מהסרטים, ואני מעדיף לחכות שהוא ייפסק ושיתבהר קצת כדי לעבור את הגבול לארגנטינה ולשוט בסירה מהירה לאחד המפלים היותר גועשים, מפל גרון השטן, Garganta del Diablo, שאני כבר מת מת לראות אותו!

מה שכן, כבר הספקתי לטייל בפארק העצום שיש כאן למרגלות המפלים, עם כל הציפורים האקזוטיות והצמחים הסבוכים, המשונים, וחשבתי כמה כיף זה יהיה אם אוכל להמשיך את המסע הזה עם עוד מישהו, לא לבד, מישהו חכם ומצחיק וכיפי כמוך, מישהו שאוכל

לחלוק איתו את כל האהבה וההערצה אל היופי והעוצמה של הטבע ושל החיים, ואני חושב שמשאלתי נענתה, כי לפני יומיים בדיוק, כשהלכתי תחת מטר גשם טרופי סוחף לפרוט שטר של חמישים ריאל באיזה קיוסק ליד האכסניה שאני שוהה בה עם עדר של אירופאים סטלנים ודי אנטיפתים, נתקלתי במקרה באיש גבוה, צהוב שיער, עם כובע מצחיק, שהזכיר לי אותך משום מה, בגוון התכול של עיניו, והוא חייך אלי ואני אליו, והתחלנו לדבר והוא אמר שכמוני גם הוא רוצה לראות את המפלים בצד הארגנטינאי אבל תקוע בגלל הגשם, הוא נוסע כבר חצי שנה בדרום־אמריקה, התחיל בצפון ועכשיו הוא יורד למטה ומתכוון לחזור למעלה דרך צ׳ילה ופרו, זאת התוכנית בכללי אבל יותר מזה הוא לא יודע ולא מתכנן, זה כמו ספר, הוא אמר, שרק הדף הנוכחי שלו גלוי לעין והבאים עדיין עלומים, וכשהוא אמר את המשפט הזה הציף אותי להט של חום, ומיד הצעתי לו ללכת לשתות ביחד קפה (למרות שדווקא פה, בברזיל, הטעם שלו לא משהו).

הוא הציג את עצמו, קוראים לו ג׳וּזֶפֶּה, אין לי מושג בן כמה הוא, כאילו, לפי הקמטים בצדי העיניים הוא יכול להיות בן שישים, אבל לפי הצחוקים הפראיים והאנרגיה הוא בן שש־עשרה. הוא חובב ספורט אקסטרים שאוהב לעשות רפטינג וטרקים פראיים, ומקפיד לרוץ חמישה קילומטרים כל ערב כדי לשמור על הגזרה, מעולם לא התחתן ולא הוליד ילדים, זה לא בשבילו, הוא אומר בחיוך, את העול הזה הוא משאיר לאחרים, והוא קצת מוזר אבל בצורה חמודה, במקור מצפון איטליה, ליד האגמים, ממשפחה עשירה כנראה, היו לו שתי אחוזות שהוא מכר לפני כמה שנים ועם הכסף הוא נוסע בעולם, כל פעם בחלק אחר. הוא כבר היה באוסטרליה ובסין וביפן, וגם בהודו ובאפריקה, ועכשיו, בחודשים האחרונים, הוא כאן, לוקח את הזמן ונהנה מכל רגע. במשפחה שלו

אומרים שהוא קוקו אבל לי הוא נראה שפוי לחלוטין, חוץ מיציאות קטנות כאלה לפעמים, כמו זה שהוא התוודה לפני שפעם הוא צם יום שלם כי הרג בטעות נמלה, או כמו זה שהוא מאמין שלכל דבר בעולם, גם לחי ולצומח וגם לדומם, יש נשמה, אפילו לעצים יש נשמות ורגשות ואם מרכזים את המבט מספיק זמן בענפים, בעלים, בגזע, ונושמים נשימה מעגלית, אפשר לשמוע אותם ממש מדברים אליך, והוא כמובן מסרב לכל מנעמי הבשר הדרום-אמריקאי כי הוא לגמרי צמחוני, גם לא דגים, לא שרימפס, ואפילו קצת מרחם על העגבנייה כי גם בה יש חיים ונשמה, ובקיצור, מיכאל, הוא עכשיו החבר-למסע שלי.

ג'וזפה אומר שאין כל טעם להגיע למקום רק כדי להגיד שהיית בו, צריך לחוות אותו באמת, לנשום את האוויר שלו, לרחרח את האנשים, לתעות ברחובות שכף רגלו של תייר לא מגיעה אליהם, זה כמו מוסיקה, הוא אומר, צריך להקשיב לצלילים ולרקוד איתם, לפעמים מהר ולפעמים לאט. אני קצר רוח להתחיל איתו במסע, זה הולך להיות מלהיב ומוזר ומצחיק, רק שבינתיים, מעשה שטן, אנחנו תקועים בעיירה התיירותית הזאת בגלל הגשם הכבד, אבל מצד שני זה דווקא טוב כי ככה אני לומד להכיר אותו והוא אותי, זה שיעור באורך רוח, אומר ג'וזפה, זאת בעצם הזדמנות שהחיים נותנים לנו בנדיבות כדי ללטש את יהלום הנפש, כדי להפוך אותנו ראויים יותר לחיות את החיים על הכוכב הזה, ובקרוב מאוד, מחר או מחרתיים, אם מזג האוויר ישתפר, נצא ביחד למסע, **המסע המשותף של שנינו.**

שלך,
נדב

נ"ב

בבקשה אל תיעלם – ספר לי איפה אתה ומה מעשיך. החלטת
לחזור לעבודה בפרקליטות אחרי שלוש שנים שבקושי ראו אותך
שם? או שיצאת לפנסיה מוקדמת כמו שאיימת שתעשה מיד
כשתחזור לארץ? או שבכלל יצאת למסע חדש? ואם כן, אז לאן?
אני סקרן...

כתוב לי.

[כעבור חמישה שבועות]

שלום שלום נדב, שמחתי שמחת אין קץ לקבל את דרישת השלום ממך היישר ממתכי הגשם הטרופי של מפלי איגואסו (יום אחד אסע גם אני לראות אותם, יחד עם בואנוס איירס וצ׳ילה ופרו), ואני מודה לך על כל התודות שהרעפת עלי במכתבך, אבל קודם כל אני חייב לשאול אותך, נדבי, מה זה? כבר מצאת חבר חדש, איזה ג׳וזפה אחד שנשמע לי אפילו יותר משיגנע ממני, אחד שמכר נכסי דלאניידי כדי לנדוד בעולם, טיפוס שמדבר אל העצים ואל האבנים, ומרחם על נפש העגבנייה? נו טוב! הדור הצעיר!

אבל לא, אני לא מקנא בכלל אלא מפרגן לך מכל הלב, ואם כבר בענייני תודה אני הוא זה שצריך להודות לך על השבועיים הנהדרים שלנו ביחד. מכל מסעותי בשלוש השנים האחרונות, המסע איתך היה המופלא מכולם, לא רק בגלל האווירה הנפלאה של ריו דה ז׳נרו, אלא בגללך, בזכותך, בזכות מי שאתה, ובחיי שהייתי מאמץ אותך לבן אם רק היית מבקש.

בשבועיים האלה, כשהתבוננתי בך, בדרך שבה אתה מתכנן בקפידה את היום החדש, ומנתח כל כך יפה כל דבר שנקרה בדרכך, כמו התובנות שנתת לי על הפערים הסוציו־אקונומיים החמורים בין ריו דה ז׳נרו העשירה לבין תושבי הפאבלות, או כמו זה שהצבעת על שרידיו של הקולוניאליזם הפורטוגזי האכזרי בעיר הזאת – דברים שלא שמתי לב אליהם ולא הייתי בכלל מסוגל להעלות אותם על דעתי! – בשבועיים האלה נוכחתי לדעת כמה פיפיקה צדקה בדבריה וכמה אני, בעצם, בעמקי נפשי, כל כך ילדותי, כרגע בגיל המנטלי של עשרים אבל מי יודע מה יקרה בעתיד הקרוב, אולי אני נסחף והולך במדרון חלקלק שיוביל אותי בתוך

שנים ספורות בחזרה אל גיל הטיפש־עשרה ומשם לאינפנטיליות של ילד קטן, שתוציא לי שם רע ותרחיק ממני את אחרון חברַי הספורים!

כשחזרתי לכאן, לפתח תקוה, אל זרועותיו השעירות של סימבה אהוב לבי, באמת התחלתי לחפור בדיוק בנקודה הזאת, שבשלוש השנים האחרונות קצת יצאתי משיווי המשקל של עולם המבוגרים האחראים, שהתעסקתי יותר מדי בנשמות ומדריכים רוחניים עד לכדי התערערות נפשית, שצריך קצת משקל נגד לכל ההתפרעויות שהתפרעתי בלי בושה, וצריך לעשות עכשיו איזה צעד שיחזיר אותי אל מסלול הרצינות, אבל לחזור אחורה, אל המשרה בפרקליטות, זאת לא עלה על דעתי. צריך להתקדם הלאה, אל מקום חדש, אחר.

חזרתי וקראתי את חליפת המכתבים בינינו, וככל שקראתי את הדברים כך הלכה וגמלה בלבי החלטה משונה, שלא ידעתי אם יהיה בי די אומץ להוציאה מן הכוח אל הפועל, ולכן הנחתי לעצמי ליום יומיים ואחר כך שוב חזרתי ושקלתי, וערכתי, שלא כהרגלי, טבלה של בעד ונגד, עד שבסוף נזכרתי בעצה טובה של אולין, לזמֵן רגע לפני ההירדמות חלום טוב שיקפל בתוכו את התשובה, ובאותו לילה היא אכן הגיעה, בחלום שהקצתי ממנו בריא ורענן ומלא חיים ונכון לדרך חדשה.

אחרי בירורים ארוכים של הנהלים ותעייה בסבך הבירוקרטיה, מצאתי שעלי למלא טופס ולפרט בסעיף האחרון את הנימוקים לבקשה. עשיתי זאת בנפש חפצה, מילאתי את הפרטים החסרים ושלחתי בדואר רשום, לא לפני שהדבקתי נשיקה על גב המעטפה כדי להבטיח לי מזל טוב בדרך החדשה שבחרתי לי:

לכבוד
מפקדת הבקו"ם

אני החתום מטה מצהיר בזאת כדלהלן:

1. מכיוון שאיני מחויב בשירות ביטחון על פי חוק, ויש ברצוני לשרת, הריני מבקש בזאת להתנדב לשירות בכוחות המילואים של צבא ההגנה לישראל.

2. ידוע לי כי התנדבותי זאת תיכנס לתוקפה רק מהמועד שבו תאושר על ידי שר הביטחון או על ידי מי שהוסמך על ידו.

3. ידוע לי שאם תאושר התנדבותי זאת, ניתן יהיה לקרוא לי בצו התייצבות לשירות מילואים לתקופות שירות שאליהן ניתן לקרוא לכל יוצא צבא הנמנה עם כוחות המילואים, לפי סעיפים 28, 29 ו־34 לחוק.

4. ידוע לי שבמשך כל תקופת השירות לפי התנדבותי זאת איחשב לחייל הנמנה עם כוחות המילואים של צה"ל לכל דבר ועניין, ויחולו עלי כל הזכויות וכל החובות החלות על חיילי מילואים בצה"ל לפי כל דין ועניין, ולפי הוראות הצבא.

5. ידוע לי כי רשויות הצבא יוכלו להפסיק בכל עת את התנדבותי זאת.

6. להלן הנימוקים לבקשתי:
   <u>לסייע בקליטת הטירונים בימיהם הראשונים בצבא כדי למנוע הלם בקו"ם! לתת מניסיון חיי! לעזור לחיילים! לשמוח ולצחוק בכל יום!</u>

על החתום,
מיכאל

התשובה התעכבה משום מה, והייתי צריך להפעיל כמה קשרים פה ושם ואחר כך לעמוד בפני ועדה חמורת סבר של שלושה סא״לים ומש״קית ת״ש אחת, שבחנו את טוהר כוונותי וטיב הצהרותי (הם בעיקר לא הבינו את הנימוקים לבקשה והורו לי להימנע, להבא, משימוש מוגזם בסימני קריאה!!!), אבל בסופו של דבר, ואחרי מאבקים והשתדלויות רבות, וכמעט איום בקבילה לנציב קבילות חיילים, הצלחתי.

הצבא אישר את בקשתי להתנדב, מה שאומר שבמשך השנתיים הבאות אהיה **חייל לכל דבר ועניין**, כלומר כפוף לכל פקודות המטכ״ל, חייב בגילוח צחצוח, נמלט ממנאייקים וסובל מתוגת מוצאי השבת ומשביזות יום א׳, כאילו, חזרתי להיות היום בן שמונה־עשרה, ובתקווה שההידרדרות המנטלית שלי תיעצר בגיל הזה!

נכון, אני יכול אמנם להפסיק את ההתנדבות בהודעה בכתב של שבעים ושתיים שעות ולעשות פוס למשחק ולחזור לחיים הרגילים שלי כאילו לא קרה כלום, אבל אני נשבע לך וגם התחייבתי בפני עצמי שלא אעשה זאת – אני מתכוון ללכת עם זה עד הסוף בלי לוותר לעצמי, נדב, אפילו שהדרך החוצה קלה כל כך.

לאחר כשבוע קיבלתי בדואר את המעטפה החומה עם חותמת צה״ל, שהיתה כל כך שנואה עלי כשהייתי מילואימניק פעיל לפני כך וכך אלפי שנים, אבל הפעם גרמה לי לתחושות של אושר ודגדוגים של שמחה בכל הגוף בקטע של, החלום שלי באמת מתגשם!

עם פתיחת המעטפה התברר לי כי בשל הזמן הרב שחלף מאז שירתתי שירות פעיל בצה״ל, מפקדת הבקו״ם מורה לי להתייצב בעוד חודש בבסיס ד׳ כדי לעבור מחדש טירונות, כולל לימוד מחדש של אופן השימוש ב-M16! ומטווח אמיתי! ושעות ביציאה!

וכל זה בגלל החלום הברור כל כך, שהוא מעין המשך לחלום שאתה חלמת, ובו אני מרחף בין שמים לארץ בתוך סל הקשור אל כדור פורח צבעוני, אבל משטר הרוחות משתנה בפתאומיות, ואני טס במהירות מעל האוקיינוס האטלנטי, ואירופה, והמזרח התיכון, עד שאני נוחת על חולות מדבריים, בתוך בסיס צבאי, לצדה של אנטנה זקורה, עם מנורה אדומה בראשה!

וכשהחזקתי את המעטפה הצבאית, עדיין בידיים רועדות, חשבתי לעצמי, אלוהים אדירים, אני מרגיש עכשיו חי כל כך, אני חווה את הרגע הזה במלוא עוצמתו, הוא בה בעת הרגע הראשון והרגע האחרון של חיי, וכמה נפלא זה יהיה אם אוכל לחיות את שארית ימי בתחושה הזאת, שכל דקה מקפלת בתוכה חיים שלמים, עולם ומלואו, ונזכרתי בשלושת הילדים שפגשנו בריו דה ז׳נרו, באחת משכונות העוני הנוראיות ביותר, ששקדו ברצינות רבה כל כך על משחק הגולות ביניהם כאילו היה הדבר החשוב ביותר בעולם, כאילו לא קיים שום דבר אחר ביקום כולו, רק הם! והגולות! והפאבלות!

אז עכשיו אני בטירונות במחנה ד׳, שהוא – למרבה התדהמה – בדיוק אותו מחנה שבו אתה עברת את הטירונות שלך לפני שלוש שנים, עם מ״כית שהיא אולי חניכתה של המ״כית השמנה שלך, ועם הקפצות אמיתיות (!) ומסעות רגליים, ובקרוב, כך אומרים לנו, יהיה אפילו יום שדאות, שבו נצטרך להקים בעצמנו אוהלים ואפילו לישון בהם בלילה!!!

בטירונות אני מצֻוות לפלוגה א׳ של טוראים אמיתיים, עדיין מסריחים מריח בקו״ם אבל חמודים לאללה. את אחד מהם, בחור מיוסר, שחרחר ונוירוטי בשם אלון, לקחתי תחת חסותי כדי להראות לו את כל הגיחוך והשעשוע שבמעמד, ואני כותב לך

בפעם הראשונה שבה יצאתי שבת – כמעט פספסתי את היציאה
בגלל שאני נוטה לאבד את פין שבת, ובגלל שהחוש הטכני שלי
ממש גרוע, ואני מאוד לחוץ לקראת הבוחן הממשמש ובא על חלקי
ה-M16, אבל גם נהנה מכל רגע ולא יכול לחכות למחר, יום ראשון,
כשאלבש את המדים הירוקים (קיבלתי בהתחלה רק מדי ב', אבל
לפי בקשתי המפורשת נתנו לי גם מדי א', ואתה לגמרי צודק – הם
מגרדים בטירוף), אצא לטרמפיאדה ואסע בחזרה לבסיס, ואחר כך,
בעוד שבועיים-שלושה, אתייצב בבסיס קליטה ומיון בתפקידי
החדש, מ"כ הטירונים בלילה הראשון שלהם בלי אמא, באוהל,
עדיין בלי נשק, קצת בהלם ועוד לא בדיוק מוכנים למסע החדש.

יש לי הרבה תוכניות להמשך הדרך. אני רוצה ללמד את
החיילים לבקר בכל המקומות שהייתי בהם בלי לצאת מהבסיס,
בעזרת נשימות עמוקות ודמיון מודרך, ובשעות המתות אקרא להם
בשמן ומים, או בקלפים (אם לא יחרימו לי בדרך), ונוכל גם לשיר
שירי שיכורים בצרפתית, ואולי גם לכתוב תסכית או סרט קצר על
כל מה שקורה אצלנו בטירונות...

תאחל לי בבקשה בהצלחה... ותהיה בקשר, אם כי, אני חושש,
עם הצבא אי אפשר לדעת – הם עלולים להקפיץ אותי לבט"ש או
השד יודע מה, כך שאולי לא אהיה מחובר כל הזמן, אבל אתה
תמיד יכול לשלוח לי מכתב עידוד היישר ליחידה – אשמח לקבל
ממך חבילות לדואר הצבאי שלי, ואשלח לך את המספר ברגע
שיהיה לי.

שלך,
באהבה ובגעגועים, ובאיחולי דרך צלחה, לשנינו,
מיכאל